Socorro

Susan Platt and Richard Wall

Mary Glasgow Publications

Introduction

Socorro has been written to help you learn how to deal with everyday situations that you might find yourself in, either when travelling abroad in a Spanish-speaking country, or in the company of Spanish-speaking people at home. The book is intended to give you confidence to manage in these situations.

Unlike many other language textbooks, *Socorro* has units which are self-contained. You can study the units in any order you wish, without having to start at the front of the book. The words you need to know are set out clearly at the end of each unit in the Key words section *(Vocabulario)*, and you should not need to know more than a few words from other units.

All instructions are in Spanish, but they are repeated several times so you will soon understand what you are meant to be doing. Your teacher will help you, and there are symbols to make clear what you have to do for each exercise. There is a list of instructions (*Las instrucciones en el texto)* on page 4 to help you if you have a problem, and the first unit *¡Hola y adiós!* will help you get used to the symbols and instructions. Work your way carefully through this unit. It will make things a lot easier later on.

Remember, as you work your way through the tasks, that they are planned to help you understand and use the key words and phrases in each unit as quickly and easily as possible. Some of the units also have a final task called *¿Y tú?* which will help you build up a collection of material written about yourself.

¡Que tengas suerte! ¡Que lo pases bien!

Contents

Las instrucciones en el texto

adivina	guess
aprende de memoria	learn by heart
busca	find, look for
colorea	colour in
completa	complete, fill in
copia	copy
dibuja	draw
empareja	match up
escoge	choose
escóndelos	hide them
escribe	write
escucha	listen
habla	speak
lee	read
mira	look
practica	practise
rellena	fill in
repite	repeat
toma notas	take notes

¿cúanto es?	how much is it?
¿cúanto son?	how much are they?
¿cúantos/as?	how many?
¿cómo?	how? what ... like?
¿qué?	pardon? what does that mean?
¿qué asignatura?	what subject?
¿qué dicen?	what are they saying?
¿qué es eso?	what is that?
¿qué falta?	what is missing?
¿qué número?	which number?
¿qué quieren?	what do they want?
¿qué son?	what are they?
¿sí o no?	yes or no?
¿verdad o mentira?	true or false?

un anuncio	an advert
la carta	the letter, card
el cuadro	the grid
correcto	correct
con tus parejas	with your partners
un diálogo	a dialogue
los dibujos	the pictures
en español	in Spanish
en inglés	in English
la etiqueta	the label
una ficha	a form
las frases	the sentences
el intruso	the odd one out
un juego de memoria	a memory game
las letras	the letters
la lista	the list
el número	the number
en la página ...	on page ...
las palabras	the words
el plano	the plan, map
la poesía	the poem
el precio	the price
las preguntas	the questions
en el orden correcto	in the correct order
el recado	the message
el símbolo	the symbol

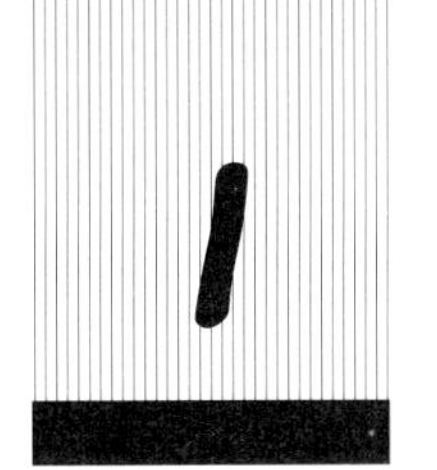

1 ¡Hola y adiós!

This unit will teach you the most important things in the Spanish language - how to say hello and goodbye. Always say hello or excuse me, *perdone* before you start speaking. Not only is it more polite, but it gives people a chance to notice you, and perhaps realise you are a foreigner.

The unit will also get you used to doing the tasks in the book. Very few of the instructions are in English after this first unit, but you will soon get used to that. Remember, all the tasks are to get you to understand and use the words in the *Vocabulario* as quickly and as easily as possible.

Before starting any task, look at the *Vocabulario* and think carefully to work out what you have to do. If you need to, look at the *Instrucciones en el texto* on page 4.

Write the number of the task.

This shows how many items there are to listen to.

A listening task. Play the tape as often as you need to, as often as you can. Answers to listening tasks will be quite simple: usually just numbers and letters.

The name of the task. Most tasks have a title from the *Vocabulario* for that unit. If not, look in the *Instrucciones en el texto* on page 4 to see what it means.

1 1-7 ¿Hola o adiós?

hello: ¡Hola! ¡Buenos días! ¡Buenas tardes! ¡Buenas noches!

goodbye: ¡Buenas noches! ¡Adiós! ¡Hasta luego!

Are these people saying "hello" or "goodbye"?

Copia el cuadro y complétalo.

	¡Hola!	¡Adiós!
1		★ ✔
2		
6		
7		

Copy the table quickly and fill it in as you listen. Don't spend a long time ruling lines perfectly. Just show that you understand what you hear.

This tells you:
- what to do;
- how to do it;
- how to write the answer;
- the correct first answer.

Check your answers before you go on to the next task.

(Do all the numbers up to 7!)

2 1-9 ¿Qué tal? ¿Cómo está?

Dibuja **a**, **b**, **c** o **d**.

a Bien, gracias.

b ¡Estupendo!

c Regular.

d Fatal.

★ 1 

Draw the face quickly to show how the people are feeling.

3 ¡Hola! y ¡Adiós!

A speaking task, by yourself – a chance to practise and learn.

Mira 1 .

Look at the first task. This practises the words in that task.

★ a ¡Hola!

A speaking task for two people. Take turns. Keep going until you can do everything easily.

4 ¡Hola! y ¡Adiós!

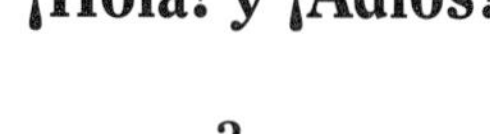

The title tells you this is to practise "hello" and "goodbye". The pictures show you what you have to say. Keep going until you can remember the right words to say.

A group activity. Take turns.

1
A
B
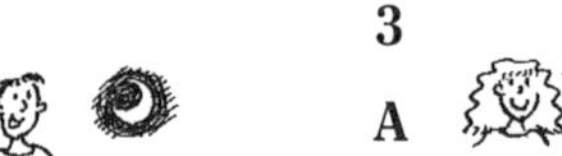

2
A
B

3
A
B

4
A
B

5
A
B

★ 1 A Buenas noches.
B Buenas noches.

5 ¿Qué tal?/¿Cómo está?

A ¿Qué tal?/¿Cómo está?
B

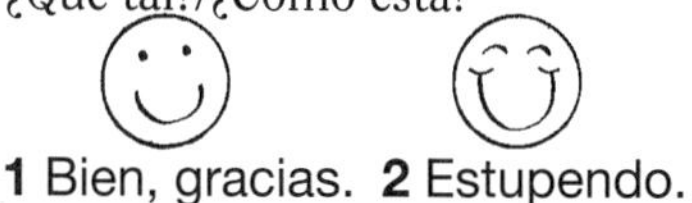

1 Bien, gracias. **2** Estupendo. **3** Regular. **4** Fatal. ¿Y tú?/¿Y Vd?

A ....

When you have learned what to say, see if you can do the task with all the words covered up.

★ 3
A ¿Qué tal?
B Regular. ¿Y tú?
A Regular.

★ 3
A ¿Cómo está?
B Regular. ¿Y Vd?
A Regular.

6 ¿Qué dicen?

You are reading Spanish. Your answers will usually be very simple.

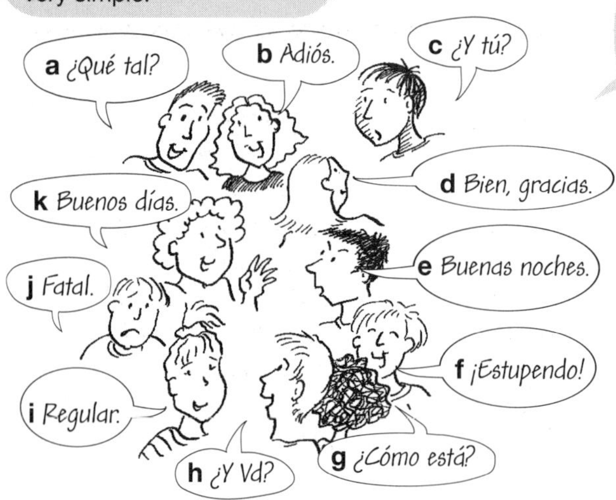

(Most of the reading tasks in this book do not have English questions. Whatever the question, show that you can understand.)

Who is...
1 saying goodbye?
2 asking how someone is?
3 asking "And you?"
4 feeling wonderful?
5 feeling good?
6 feeling awful?
7 feeling so-so?
8 saying "Good night"?
9 saying "hello"?

★ 1 b

You are writing Spanish. Make sure you spell everything correctly. Here you are just writing single words. In task 8 you have to write sentences.

7 ¿Qué tal?

Escribe en español.

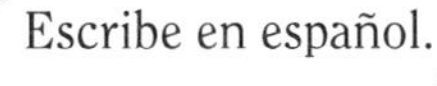

★ a regular

a b c d

Here you read and understand first, then complete the task by writing in Spanish.

8 Un diálogo

Escribe en el orden correcto.

Work out what they are saying and which order the sentences should be in. Then copy them out correctly in the right order.

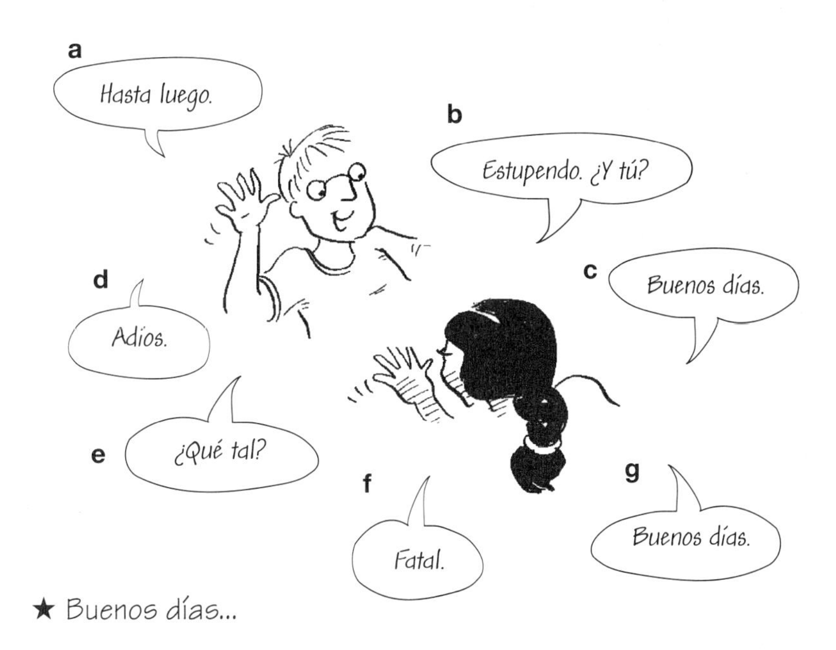

★ Buenos días...

Vocabulario

¡hola!	*hi! (anytime, day or night, informal)*	hasta luego	*bye for now*
buenos días	*hello (morning and afternoon)*	¿qué tal?	*how are you? (informal)*
buenas tardes	*hello (late afternoon until darkness)*	¿cómo está?	*how are you? (formal)*
buenas noches	*hello (after dark)*	bien, gracias	*fine, thanks*
buenas noches	*goodnight (goodbye, I'm off to bed)*	¿y tú?	*and you? (informal)*
adiós	*goodbye*	¿y Vd?	*and you? (formal)*
		estupendo	*wonderful*
		regular	*so-so*
		fatal	*awful*

2 Números 0–20

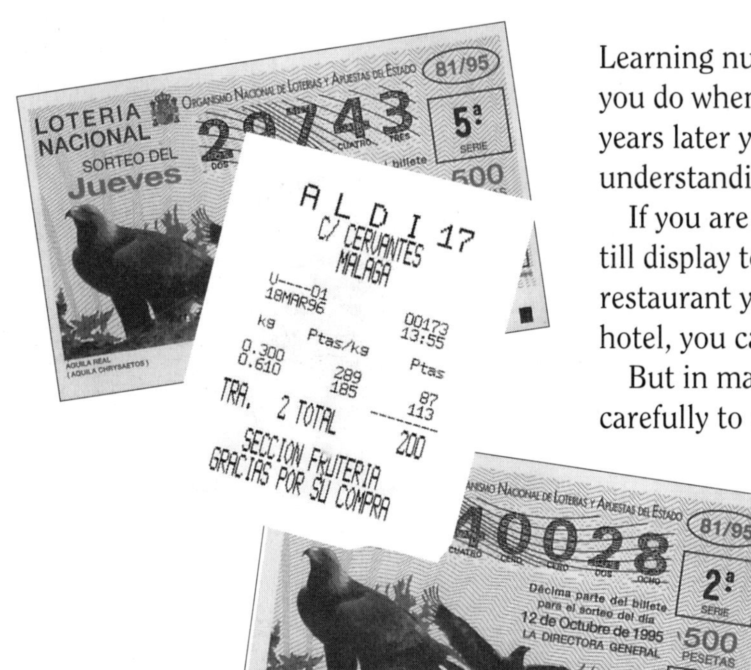

Learning numbers is often the first thing you do when you learn a language. Yet years later you may still have trouble understanding them when you hear them.

If you are in a shop, always look at the till display to check what you hear. In a restaurant you can look at the bill. In a hotel, you can see the number on the key.

But in many cases you will have to listen carefully to understand. Don't be too shy to check you have heard correctly. Just say the number you thought you heard – and make it into a question: *¿Cómo? ¿Diez?*

A 0-10

Escucha y lee los números.

cero	uno	dos	tres	cuatro	cinco
0	**1**	**2**	**3**	**4**	**5**

seis	siete	ocho	nueve	diez
6	**7**	**8**	**9**	**10**

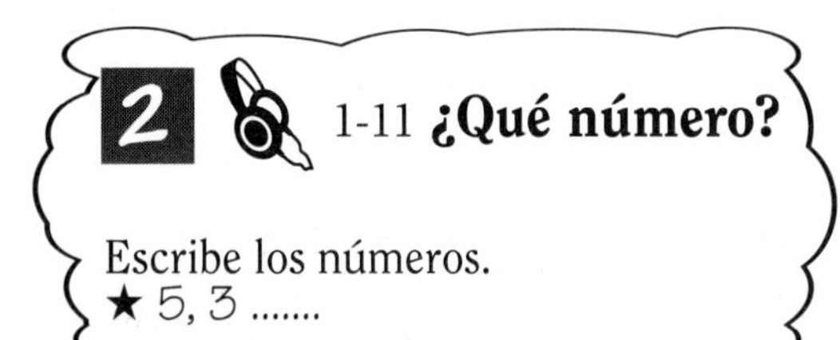

2 1-11 **¿Qué número?**

Escribe los números.
★ 5, 3 ....

3 1-9 **¿Cuántos?**

Escribe el número.
★ 1: 10

4

Practica los números.

You can learn the numbers on your own, but in a group it's more fun. Some of these ideas will work for learning words in other units too:

- Work your way through them on your own to start with.
- Take turns with a partner or some friends.

★ A *cero* B *uno* A *dos* B *tres ...*

- Try some races – in groups or on your own.

★ A *cero* B *uno* C *dos* D *tres* A *cuatro ...*

- One of you chooses a number. The others have to guess what it is.
- Leave out every third number. Replace it with a Spanish word.

★ A *cero* B *uno* C *coco loco* D *cuatro* A *cinco ...*

What you must be able to do is to say the numbers when you need to.

5 ¿Qué es eso?

B 11-20

6

These are a bit harder. Learn them by listening.

once	doce	trece	catorce	quince	dieciséis
11	**12**	**13**	**14**	**15**	**16**

diecisiete	dieciocho	diecinueve	veinte
17	**18**	**19**	**20**

11
11 12
11 12 13
11 12 13 14
11 12 13 14 15
11 12 13 14 15 16
11 12 13 14 15 16 17
11 12 13 14 15 16 17 18
11 12 13 14 15 16 17 18 19
11 12 13 14 15 16 17 18 19 20

7 1-15 ¿Qué es?

Escribe los números.
★ 14, ...

8 1-9 ¿Qué número?

Escribe el número.
★ 1: 12

9 Números 11-20

Habla:

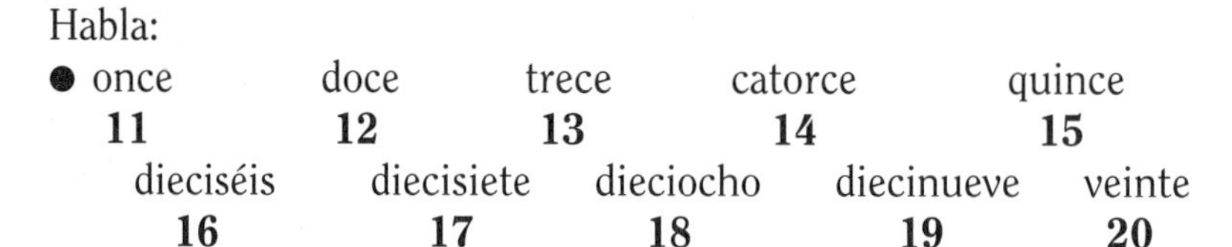

● once 11 · doce 12 · trece 13 · catorce 14 · quince 15 · dieciséis 16 · diecisiete 17 · dieciocho 18 · diecinueve 19 · veinte 20

● once 11 · trece 13 · quince 15 · diecisiete 17 · diecinueve 19

● doce 12 · catorce 14 · dieciséis 16 · dieciocho 18 · veinte 20

10 ¿Cómo?

(Just to check you heard correctly.)

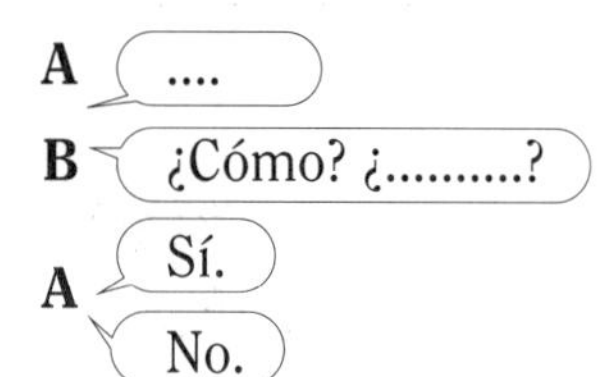

★

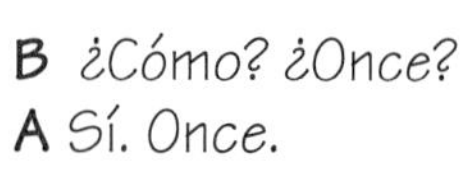

★

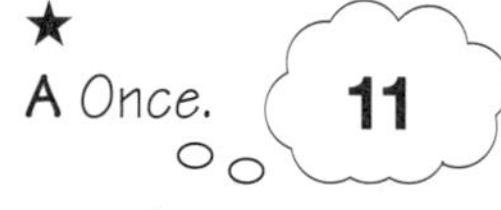

B ¿Cómo? ¿Quince?
A No.

C 0-20

11 El bingo. ¿Quién gana?

Copia las 4 cartas. Escucha y completa.

12 ¿Qué fecha es?

Escribe en inglés.

★ a 4th (4th January)

a el cuatro de enero
b el quince de febrero
c el siete de marzo
d el nueve de abril
e el trece de mayo
f el veinte de junio
g el dos de julio
h el diecinueve de agosto
i el tres de setiembre
j el diez de octubre
k el doce de noviembre
l el dieciocho de diciembre

13  ¿En qué número viven?

Escribe el número.

★ a 1

a *Vivo en la calle San Fernando, número uno,*
b *Vivo en el número cinco.*
c *Vivo en el número seis.*
d *Vivo en la calle San Fernando, número ocho.*
e *Número siete.*
f *Vivo en el número diecisiete.*
g *Vivo en la calle San Fernando, número veinte.*
h *Vivo en la calle San Fernando, número once.*
i *Vivo en el número dieciséis.*
j *Vivo en el número trece.*
k *Número catorce.*

  ¿Qué falta?

★ a uno

a cero, ***, dos
b cinco, ****, siete
c quince, *********, diecisiete
d trece, ****, once
e veinte, **********, dieciocho
f cero, dos, ******, seis
g tres, seis, *****, doce
h cuatro, ocho, doce, *********, veinte

Vocabulario

¿cómo? *sorry?/pardon?*

cero *0*	uno *1*	dos *2*	tres *3*	cuatro *4*	cinco *5*
seis *6*	siete *7*	ocho *8*	nueve *9*	diez *10*	once *11*
doce *12*	trece *13*	catorce *14*	quince *15*	dieciséis *16*	diecisiete *17*
dieciocho *18*	diecinueve *19*	veinte *20*			

3 En la heladería

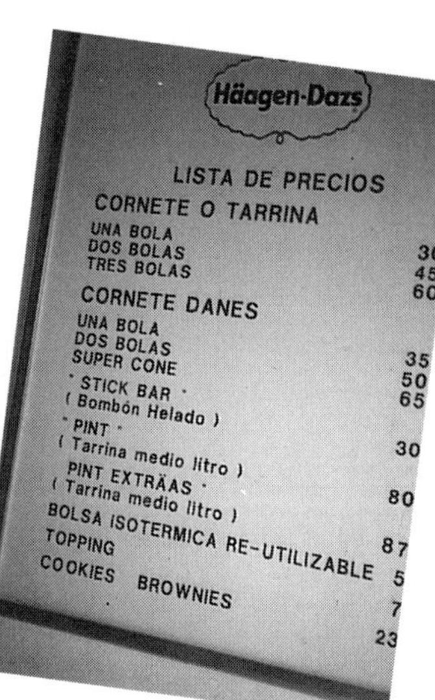

If you visit Spain in the summer, you're bound to be lured into a *heladería*. They are air-conditioned, so you can escape from the overpowering heat of the Spanish sun. You'll find it hard to choose what to have, as there are so many flavours on offer. You'll find some tempting drinks as well. *Horchata* is deliciously cool and sweet, made from tiger nuts and barley water. Or you could try a *granizado de café* – coffee served with crushed ice – or a *batido*, a cold milkshake.

  1-9 Un helado: ¿de qué precio?

Escribe el precio.

ciento cincuenta pesetas

doscientas pesetas

trescientas pesetas

★ 1: 200 ptas

  1-8 ¿Un helado, un polo o un batido?

Escribe **h**, **p** o **b**.

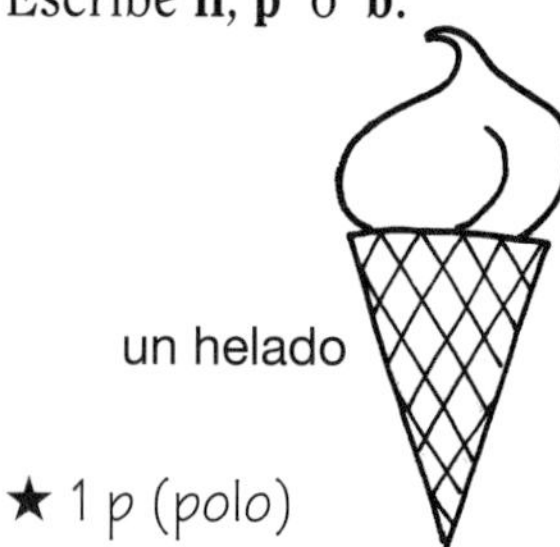

un helado

un polo

un batido

★ 1 p (polo)

3 1-9 Un helado. ¿De qué sabor?

a avellana **b** fresa **c** chocolate **d** turrón **e** café **f** naranja **g** limón **h** plátano **i** coco

★ 1 b

4 1-7 ¿Un helado, un polo o un batido? ¿De qué precio? ¿De qué sabor?

Toma notas.

★ 1 hel. (helado) – av. (avellana) – 300 ptas

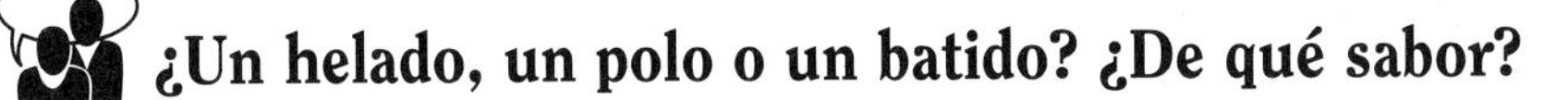

5 ¿Un helado, un polo o un batido? ¿De qué sabor?

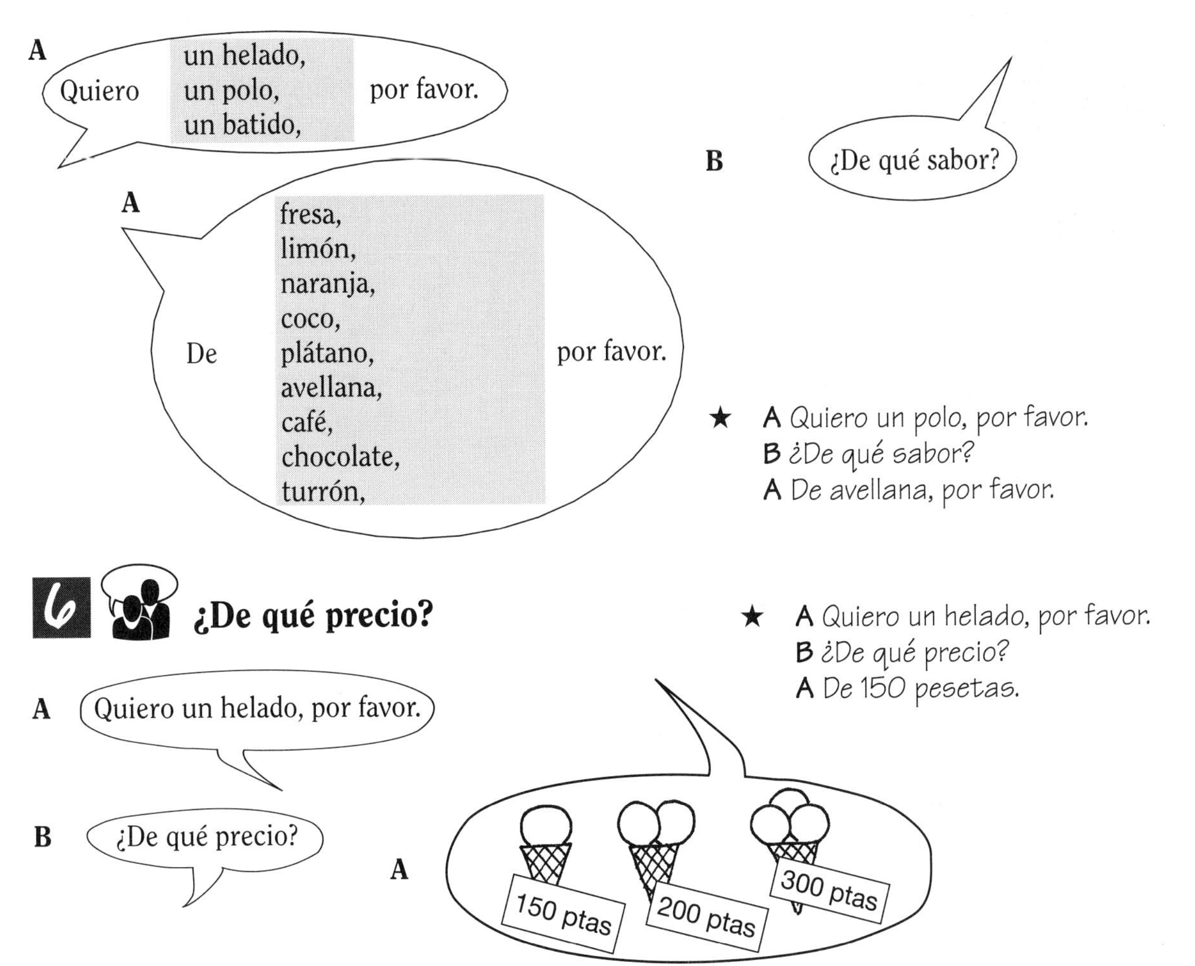

★ A Quiero un polo, por favor.
B ¿De qué sabor?
A De avellana, por favor.

6 ¿De qué precio?

★ A Quiero un helado, por favor.
B ¿De qué precio?
A De 150 pesetas.

7 Comprando helados, polos y batidos

★ 1 *Quiero un polo de naranja, por favor.*

8 ¿Cuánto son?

★ *a 150 pesetas*

Heladería
"El Madroño"
Plaza Mayor, Madrid

Polos			
naranja fresa	90 ptas		
Helados			
fresa naranja turrón café chocolate	150 ptas	200 ptas	300 ptas
Bebidas			
Horchata valenciana		100 ptas	
Granizado de café		150 ptas	
Batidos:			
chocolate plátano fresa coco café		300 ptas	

9 Busca el intruso.

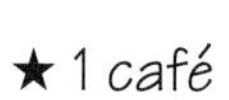

★ 1 *café*

1 naranja, café, limón, plátano
2 polo, heladería, batido, helado
3 avellana, chocolate, naranja, turrón
4 coco, plátano, fresa, horchata
5 un polo de limón, un helado de limón, un batido de turrón
6 ¿de qué sabor?, un polo, por favor, ¿de qué precio?

10 Y éstos, ¿cuánto son?

Escribe el total. Mira 8 .

1 Quiero un granizado de café y un polo, por favor.
2 Quiero un helado de chocolate de trescientas pesetas y un batido de fresa.
3 Quiero un polo, de naranja ... y un batido de café.
4 Lo siento, no hay polos de limón. ¿Un polo de naranja, quizás? ¿Algo más? ¿Un batido de plátano? Muy bien.
5 Un batido de plátano, un batido de fresa y un helado de chocolate, ... un helado de doscientas pesetas, por favor.
6 Una horchata y un granizado de café.
7 Dos batidos de fresa y un helado de turrón de doscientas pesetas, y un helado de chocolate de doscientas pesetas, por favor.

★ 1 150 + 90 = 240 pesetas

13  ¿Y tú? Escribe la lista de precios de tu heladería.

Heladería Maxine
polos .....

11 Un helado, un polo o un batido, por favor.

Escribe 9 frases.
★ *Quiero un polo de limón, por favor.*

Quiero	un helado un polo un batido	de	fresa, limón, naranja, coco, plátano, avellana, turrón, chocolate, café,	por favor.

12 ¿Qué?

Escribe las frases en el orden correcto.
★ *1 Un polo, por favor.*

1 Un favor por polo,
2 de helado Un por avellana, favor.
3 ¿precio qué De?
4 un Quiero coco batido de y helado un de chocolate.
5 de un naranja polo Quiero y batido de un café.
6 de plátano helado Quiero un pesetas de trescientas, favor por.
7 Un de coco por helado, favor.

Vocabulario

quiero un helado	*I want an ice cream*
¿de qué sabor?	*what flavour?*
un helado de ...	*a ... ice cream*
un polo de	*a ... ice lolly*
un batido de ...	*a ... milkshake*
fresa	*strawberry*
chocolate	*chocolate*
turrón	*nougat/fudge*
café	*coffee*
avellana	*hazelnut*
naranja	*orange*
limón	*lemon*
coco	*coconut*
plátano	*banana*
¿de qué precio?	*what price?*
de ciento cincuenta pesetas	*150 pesetas*
de doscientas pesetas	*200 pesetas*
de trescientas pesetas	*300 pesetas*

4 En el hotel

Where you stay in Spain will depend on how much money you have. If an ancient castle or a twelfth century monastery is where you'd like to stay, then a *parador* is what you should look for. But be warned – they are very expensive. More affordable is the large *hotel*, almost certainly with its own pool, restaurant and evening entertainment. A *pensión* – guest house – will be smaller, family-run, and have a friendlier atmosphere. Out of town, you can stay in a *posada*, a country guest house or inn.

1 1-5 ¿Individual o doble?

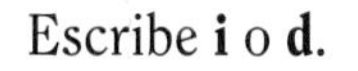

Escribe **i** o **d**.

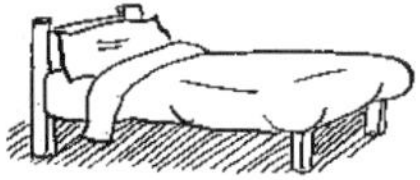

una habitación individual

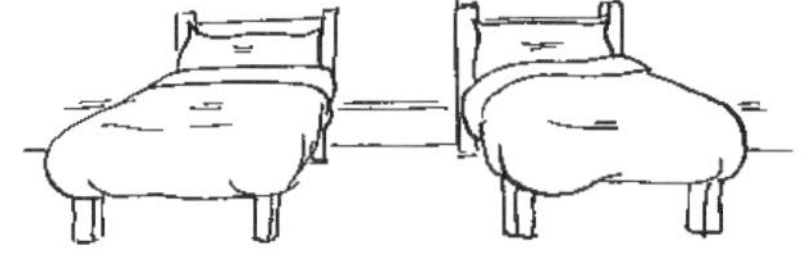

una habitación doble

★ 1 d

2 1-8 ¿Con ...?

★ 1 b

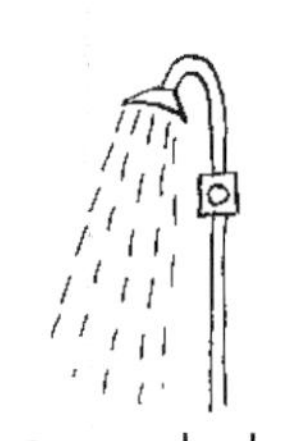

a con ducha

b con baño

c con balcón

d con mini-bar

e con televisión satélite

f con vistas al mar

3 1-7 ¿Para cuántas noches?

a una noche

b dos noches

c tres noches

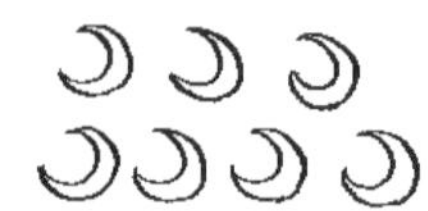

d una semana

e dos semanas

★ 1 e

1-4 ¿Individual o doble? ¿Con ...? ¿Para cuántas noches?

Toma notas.

★ doble, balcón (c),

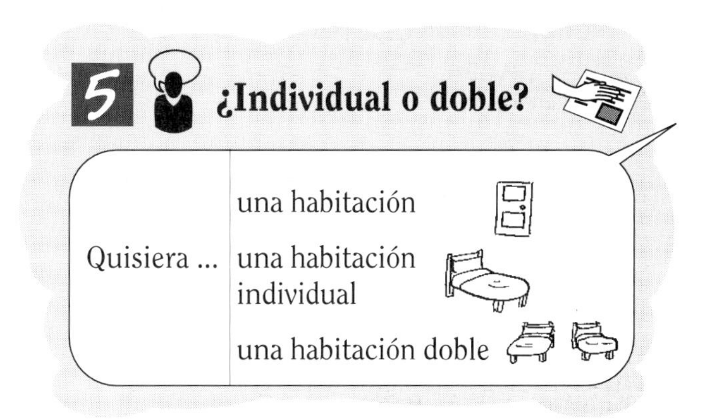

5 ¿Individual o doble?

Quisiera ...	una habitación
	una habitación individual
	una habitación doble

6 ¿Para cuántas noches?

★ 1

A ¿Para una noche?

B Sí, para una noche.

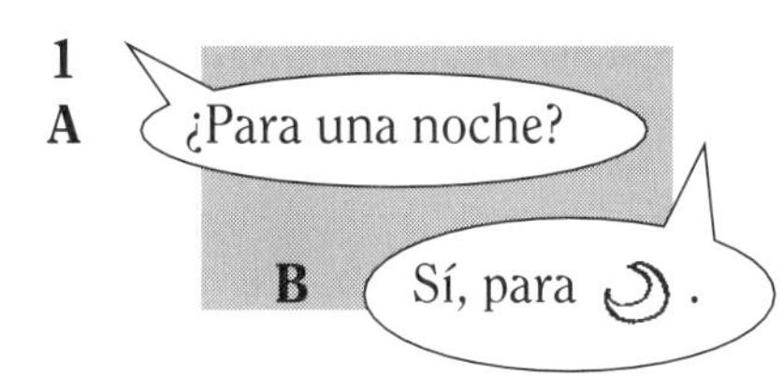

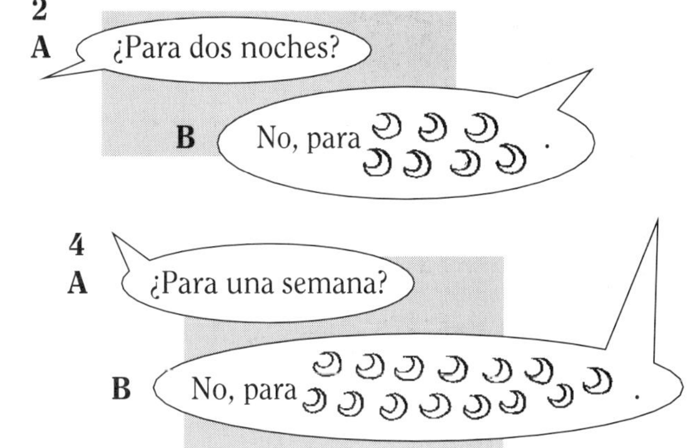

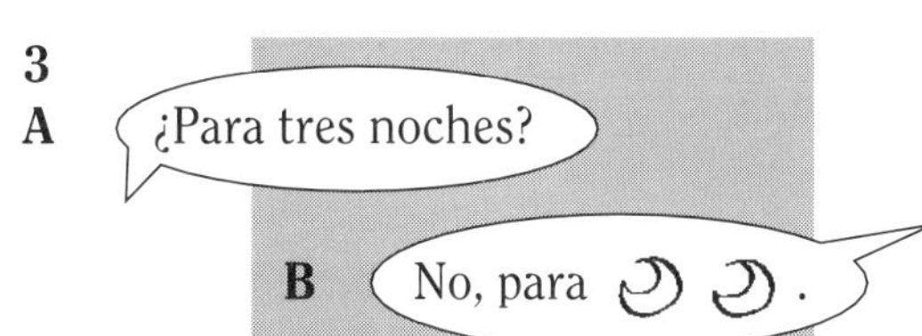

7 ¿Una habitación con ...? ¡No, no tenemos!

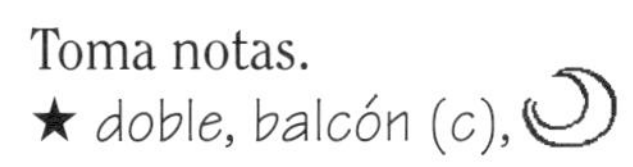

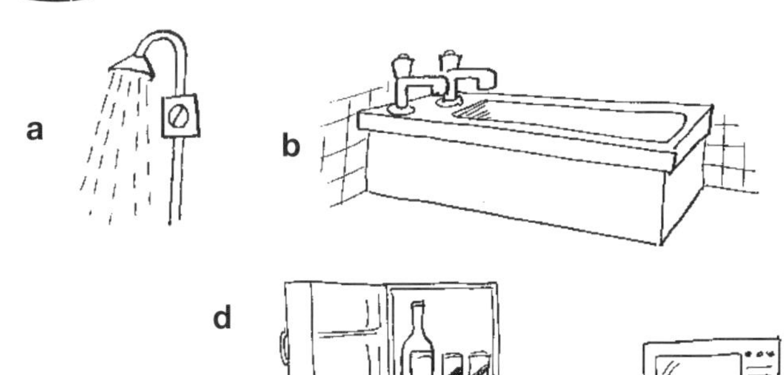

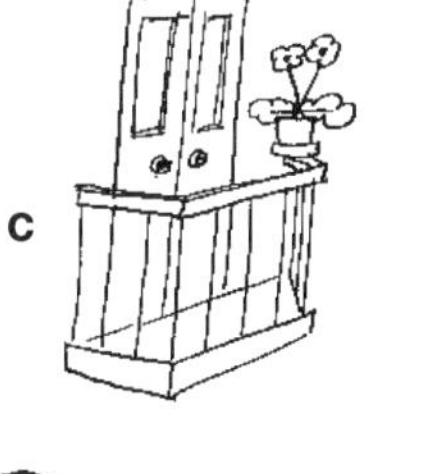

★ c

A Con balcón, por favor. B ¡No, no tenemos!

8 En el hotel

Practica estos diálogos.

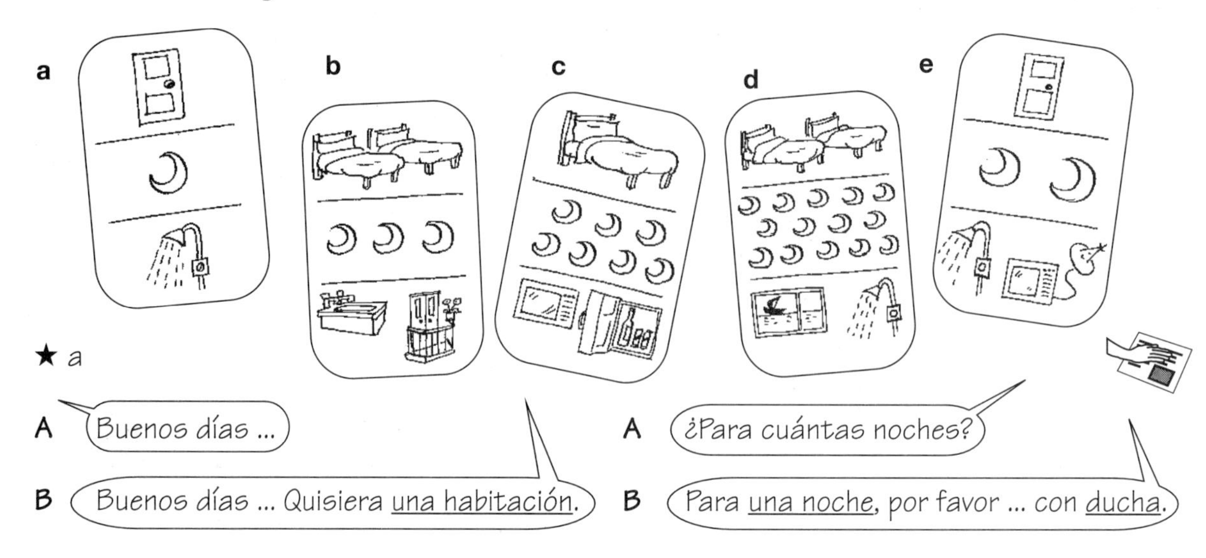

9 ¿Cuántas habitaciones?

Empareja.

★ 1 f

1 Quisiera una habitación, por favor.
2 Quisiera dos habitaciones individuales, por favor.
3 Quisiera dos habitaciones dobles, por favor.
4 Quisiera una habitación individual, por favor.
5 Quisiera una habitación doble, por favor.
6 Quisiera tres habitaciones, por favor.

10 Hotel Orosol

Hotel Orosol

¡A sólo cien metros de la playa!

Tenemos 30 habitaciones en total – 8 individuales y 22 dobles.

Las habitaciones individuales tienen ducha. Las dobles tienen ducha y baño también.
Hay 12 habitaciones con mini-bar; 20 con vistas al mar; 9 tienen balcón y 15 televisión satélite.
Abierto del 1 de abril al 31 de octubre.

Bienvenidos al Hotel Orosol

Dirección: Calle Alfonso XIII 18, La Manga

¿Cuántos.........?

1 ?
2 ?
3 ?
4 ?
5 ?
6 ?
7 ?
8 ?
9 ?

★ 1: 30

11 En el hotel

Escribe el diálogo y completa.

12 Escribiendo cartas al hotel

Escribe estas cartas.

★ a

Newcastle, 25 de marzo

Muy señor mío,

Quisiera una habitación individual con ducha para una noche del 6 de junio.

Le saluda atentamente,

S. Platt

Vocabulario

quisiera	*I would like*	con mini-bar	*with a mini-bar*
una habitación individual	*a single room*	¿para cuántas noches?	*for how many nights?*
una habitación doble	*a double room*	una noche	*one night*
con ducha	*with a shower*	tres noches	*three nights*
con baño	*with a bath*	una semana	*one week*
con vistas al mar	*with a seaview*	dos semanas	*two weeks*
con balcón	*with a balcony*	no, no tenemos	*no, we don't have any*
con televisión satélite	*with satellite TV*		

5 ¿Qué opinas?

It is useful to be able to give an opinion in Spanish about some of the things you do on holiday. In a restaurant you may wish to say how good the food was, or you may want to tell the coach driver what you thought of a town you have just visited. You may even need to complain about something. Whatever you want to say, Spanish people will be delighted by your attempt to say what you think in their language. This will make your visit more enjoyable.

1 1-8 ¿Qué tal?

Escribe a-f.

a el partido

b el viaje

c la fiesta

d el pueblo

e la comida

f la película

★ 1 *e*

2 1-8 ¿Qué tal?

Mira los dibujos y escribe g-l.

★ 1 *g*

g bueno, buena
good

h divertido, divertida
amusing, fun

i animado, animada
lively

j aburrido, aburrida
boring

k hermoso, hermosa
beautiful

l feo, fea
ugly

3 1-6 ¿Qué tal?

Mira 1 2
Escribe las dos letras.
★ 1 *d, l*

4 1-6 ¿Es o era?

Escribe **es** o **era**.

es

era

★ *1 es*

5 1-6 ¿Buen<u>o</u> o buen<u>a</u>? ¿Fe<u>o</u> o fe<u>a</u>?

● Escribe:

1 divertid	**2** aburrid	**3** animad
4 fe	**5** buen	**6** hermos

● Escucha y completa. ★ *1 divertida*

6 ¿Qué tal ...?

Practica las preguntas.
● ¿Qué tal el ...?
● ¿Qué tal la ...?
★ *¿Qué tal el viaje?*

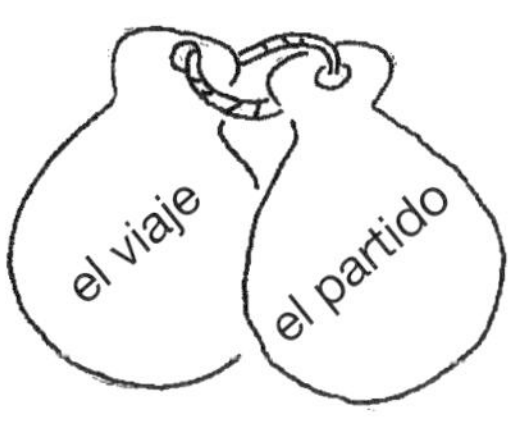

7 Un juego de memoria

B *divertido y bueno*

C *divertido, bueno y hermoso*

D *divertido .....*

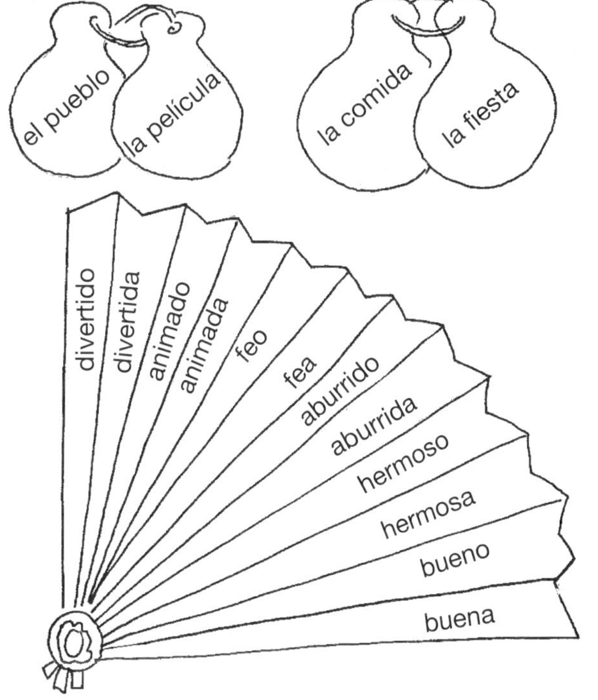

8 ¿Qué opinas?

Practica unos diálogos.

★ A *¿Qué tal la comida?*
B *Era buena.*

9 ¿Qué tal?

1 

2 

3 

4 

5 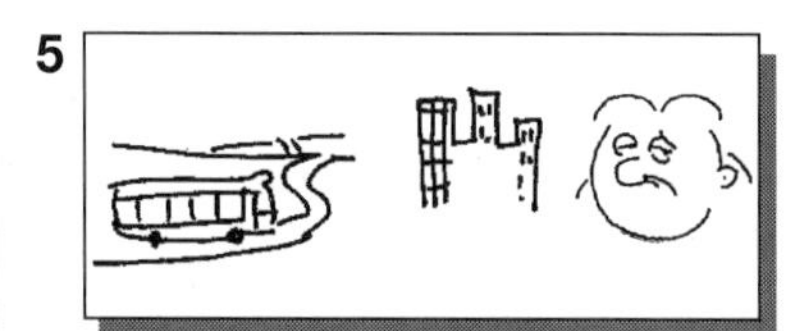

6 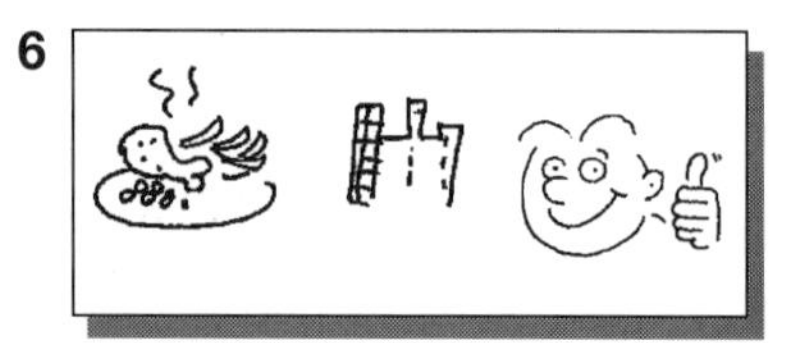

A 

B 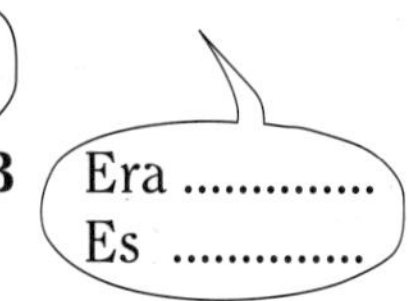

★ 1
A ¿Qué tal el pueblo?
B Era feo.

10 ¿Bueno o buena?

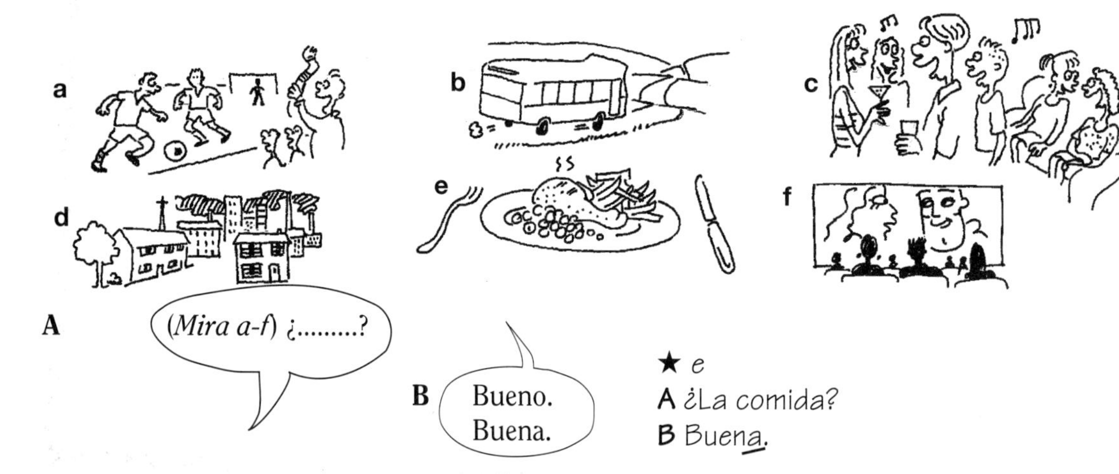

★ e
A ¿La comida?
B Buena.

11 Busca el intruso.

★ 1 la comida (la)

1 el partido, la comida, el pueblo
2 la película, la comida, el pueblo
3 divertido, animada, aburrido
4 buena, fea, aburrido
5 feo, animada, hermosa
6 la fiesta, el partido, el viaje
7 el pueblo, la comida, animado, bueno

12 ¿Verdad o mentira?

1 *El pueblo era feo.*

2 *La comida era buena.*

3 *La película era animada.*

4 *El partido era aburrido.*

5 *El viaje era hermoso.*

6 *La fiesta era aburrida.*

★ 1 verdad

13  Lee el diario.

lunes	Fui a ver una película con Paco. Era muy divertida.
martes	Fui de excursión a Salamanca con mi familia. ¡El viaje era hermoso!
miércoles	Visité un pueblo en el norte. ¡Qué feo!
jueves	Vi un partido en la tele. Era animado.
viernes	Fuimos a un restaurante. La comida era buena.
sábado	Por la noche fui a una fiesta en casa de Carmen. ¡Qué aburrida!

Copia y completa.

1 El partido era ______.
2 La película era ______.
3 El pueblo era ______.
4 La fiesta era ______.
5 La comida era ______.
6 El viaje era ______.

★ 1 El partido era animado.

14 ¿Y tú?

Mira 13. Escribe tu diario.

- ¿Qué? (película, pueblo etc)
- ¿Cómo? (bueno, aburrido etc)

El diario de Michael

lunes ______
martes ______
miércoles ______
jueves ______
viernes ______
sábado ______
domingo ______

Vocabulario

¿Qué tal ...?	*what do you think of ...?*	es	*it is*
¿Qué tal ...?	*what did you think of ...?*	era	*it was*
el partido	*the match*	bueno, buena	*good*
el pueblo	*the town*	divertido, divertida	*amusing, fun*
el viaje	*the journey*	animado, animada	*lively*
la comida	*the food*	aburrido, aburrida	*boring*
la fiesta	*the party*	hermoso, hermosa	*beautiful*
la película	*the film*	feo, fea	*ugly*

6 En el bar

You can get a drink of any kind in a Spanish bar at any time of the day or night. You may choose a lively disco bar with loud music, or a quieter, more traditional place might appeal more. There you can stand at the bar or sit outside on the *terraza* and watch the world go by. If you go to a *bodega*, however, you will probably find that wine is the only drink on offer. This unit will show you how to order a drink and ask for the bill.

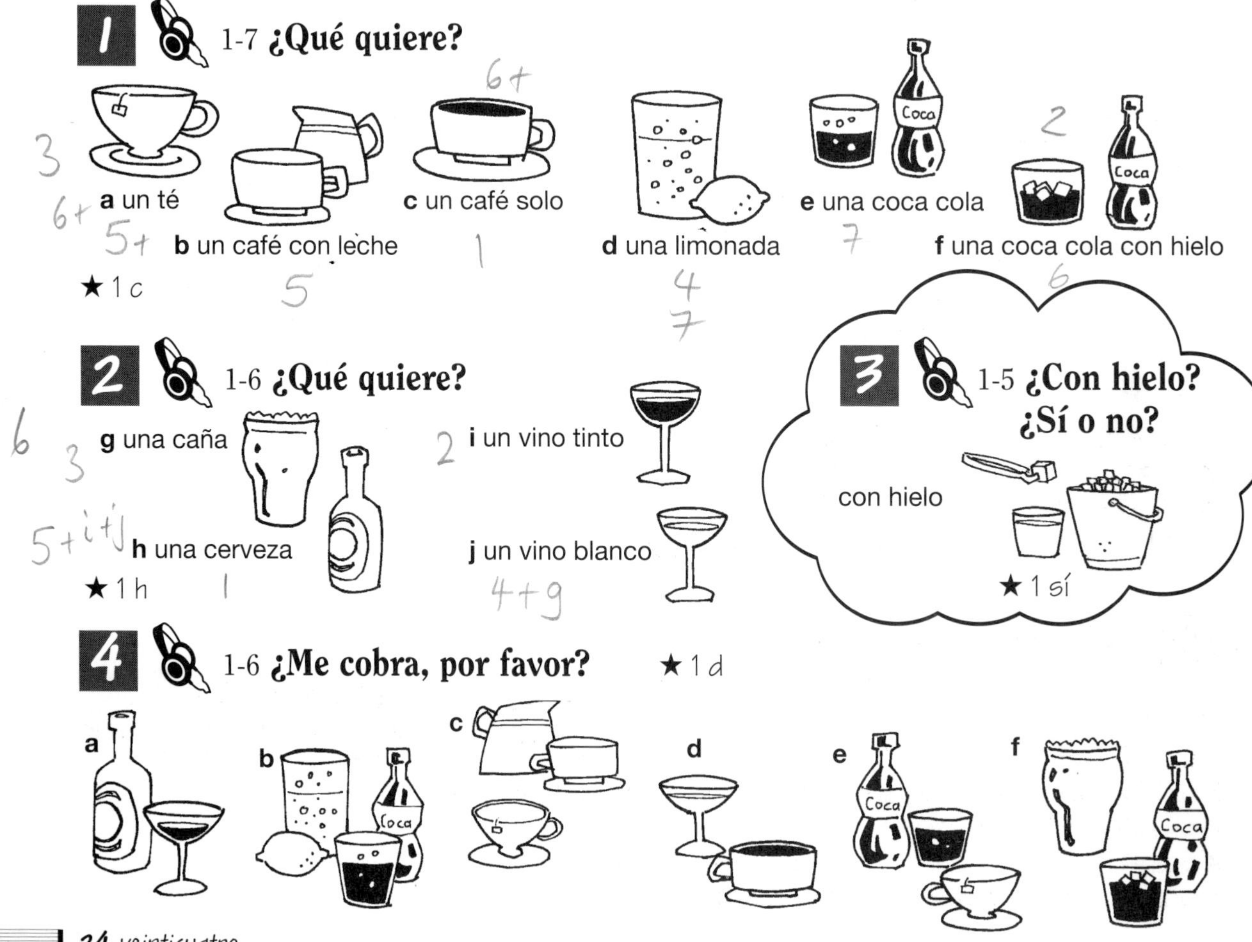

5 Quiero... quiero también... (Un juego de memoria)

Mira 1 y 2.

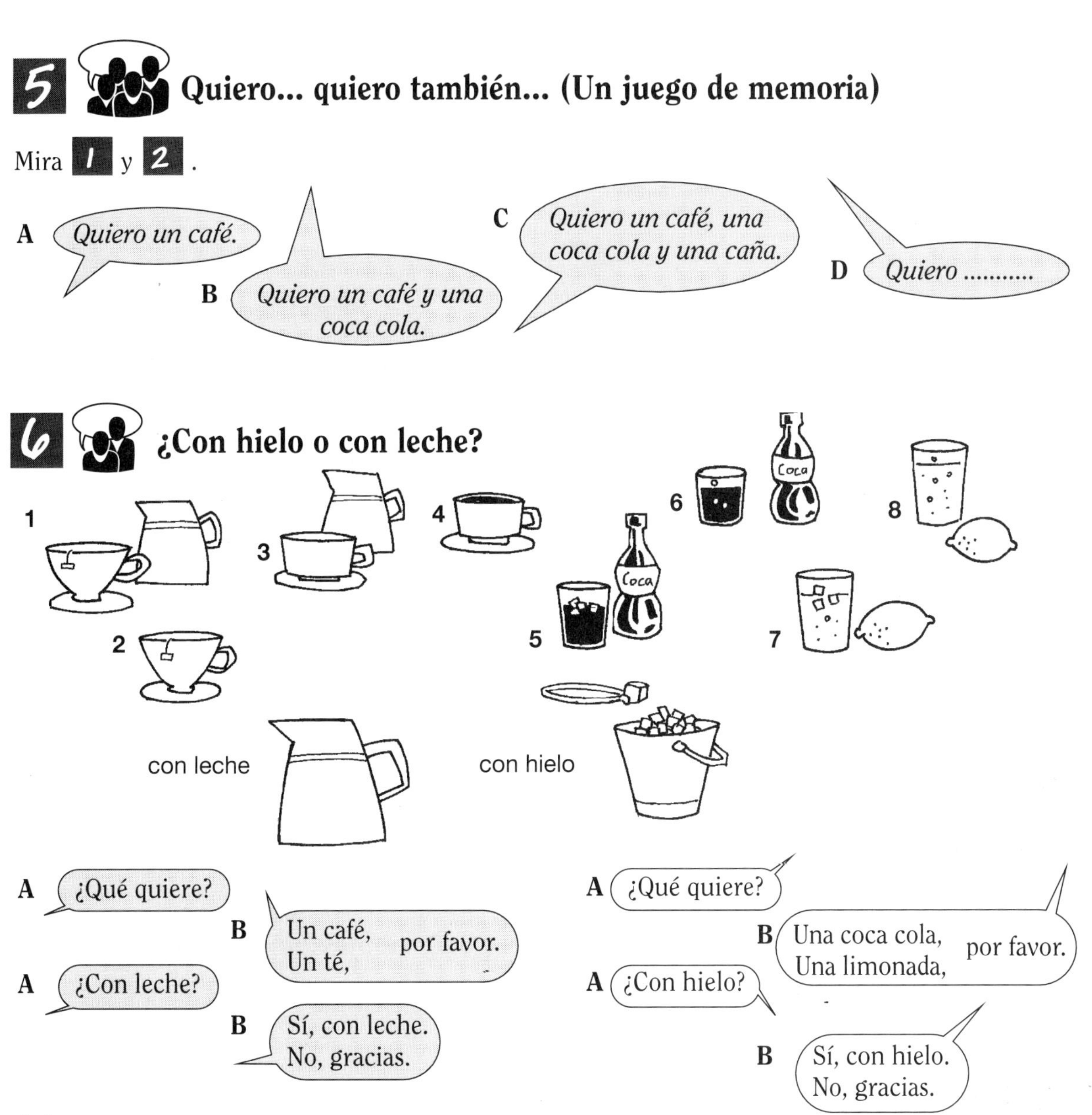

6 ¿Con hielo o con leche?

A ¿Qué quiere?

B Un café, / Un té, por favor.

A ¿Con leche?

B Sí, con leche. / No, gracias.

A ¿Qué quiere?

B Una coca cola, / Una limonada, por favor.

A ¿Con hielo?

B Sí, con hielo. / No, gracias.

★ 1

A ¿Qué quiere?
B Un té, por favor.
A ¿Con leche?
B Sí, con leche.

.....  .....

B ¿Me cobra, por favor?

7 Busca el intruso.

★ a hielo

a un café / un té / hielo
b un vino blanco / una cerveza / una limonada / un vino tinto / una caña

c un café / hielo / un vino tinto / un té
d un café solo / un té / leche / una limonada / un café
e una limonada / un café solo / una coca cola

8 ¿Me cobra, por favor?

Escribe el precio.

★ 1: 80 pesetas

Lista de Precios

un café solo	**80**
un café con leche	**100**
un té	**90**
un té con leche	**110**
una limonada	**95**
una coca cola	**75**
una caña	**85**
una cerveza	**110**
un vino tinto	**90**
un vino blanco	**90**

Servicio incluido

9  ¿Me cobra, por favor?

Mira la Lista de Precios en 8. Escribe los precios.

★ a 75 pesetas

a Una coca cola, por favor.

b Quiero un té con leche, un café solo, y quiero también una coca cola con hielo y un vino tinto.

c Para mí, una limonada, una caña y una cerveza, por favor.

d ¿Me cobra, por favor? Un café con leche, un vino blanco y una caña.

10 ¿Qué quiere?

- Escribe en español.
- Empareja.

★ 1 UN TÉ – g

11 ¿Qué quiere? Mira 1-7 en 8.

Escribe.

★ 1 Quiero un café solo, por favor.

12 ¿Y tú? Escribe tu lista de precios.

Vocabulario

un té	*a tea*	una caña	*a draught beer*
un café	*a coffee*	una cerveza	*a beer*
un café solo	*a black coffee*	un vino tinto	*a red wine*
con leche	*with milk*	un vino blanco	*a white wine*
una limonada	*a lemonade*	¿qué quiere?	*what do you want?*
una coca cola	*a Coke*	quiero	*I want*
con hielo	*with ice*	¿me cobra?	*the bill, please*

7 En la tienda de recuerdos

Most of us buy presents or souvenirs for family and friends when we are on holiday. It may be a string of the famous *Perlas Majóricas* or a piece of Spanish pottery. This unit will teach you how to ask for some typical Spanish gifts.

1 1-8 Quiero comprar un recuerdo.

Escucha y lee.

a llaveros

d sangría

e cerámica

f perlas

g pendientes

h un abanico

b perfume

c caramelos

2 1-9 ¿Qué recuerdo es?

Mira 1.

★ 1 h

3 1-7 ¿Para quién es?

a para mi amigo

b para mi amiga

c para mi madre

d para mi padre

e para mí

★ 1 e

4 1-5 ¿Para quién es? ¿Qué es?

Copia y completa:

	mis recuerdos	
1	para ★ *mi madre*	*perfume*
2	para ________	________
3	para ________	________
4	para ________	________
5	para ________	________

para mi amigo

para mi amiga

para mi madre

para mí

para mi padre

5 ¿Qué es?

Mira los dibujos a-h en 1.

★

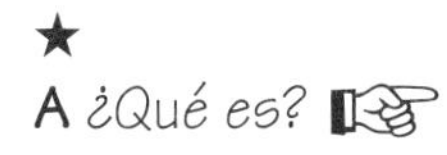
A ¿Qué es?

B Es un llavero. ¿Qué es?

A Es ...

6 Quiero comprar un recuerdo.

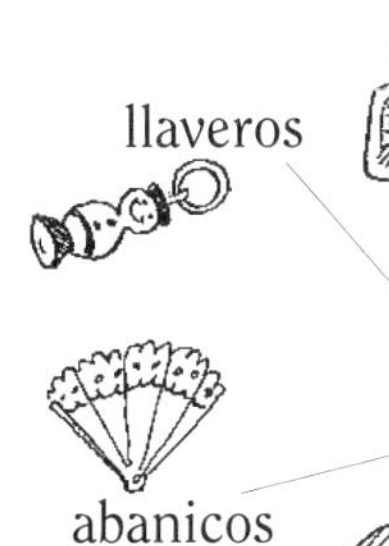

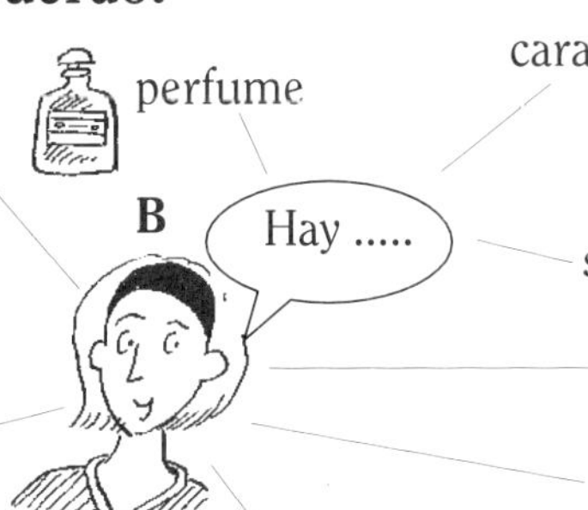

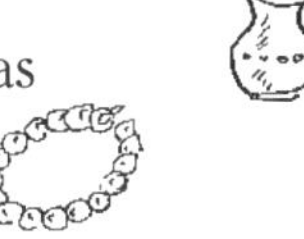

perlas

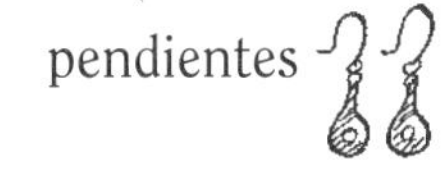

★
A Quiero comprar un recuerdo.

B Hay llaveros.

7 ¿Para quién es?

A (Quiero comprar un recuerdo.)

B (¿Para quién es?)

mi amigo

mi amiga

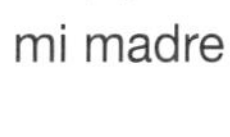
mi madre

mi padre

mí

★ A Quiero comprar un recuerdo.
B ¿Para quién es?
A Para mi padre.

8 En la tienda de recuerdos

Practica estos diálogos:

	Para ...	No	Sí
1	mí	caramelos	un abanico
2	mi madre	pendientes	perfume
3	mi amigo	cerámica	caramelos
4	mi padre	sangría	un llavero
5	mi amiga	perfume	cerámica

★ 1
A Buenos días.
B Buenos días. Quiero comprar un recuerdo.
A ¿Para quién es?
B Para mí.
A ¿Caramelos? ¿Un abanico?
B Caramelos, no. Un abanico, sí.
A Muy bien, un abanico.

9 ¿Cuánto es, por favor?

★ a 900 pesetas

10 ¿Qué compré? ¿Para quién?

Toma notas en inglés.

★ 1 sweets - boyfriend

1 Compré caramelos para mi amigo.
2 En Nerja compré perfume y cerámica para mi madre.
3 Para mi padre compré un llavero y para mi madre unos pendientes muy bonitos.
4 Los recuerdos españoles son muy bonitos. Para mi amigo compré caramelos de chocolate y para mi amiga unas perlas de Mallorca.
5 En Málaga compré muchos recuerdos – un abanico para mi amiga Joanne, sangría para mi padre y unas perlas preciosas para mi madre.
6 El año pasado pasé dos semanas en la Costa del Sol y compré muchos recuerdos para mi familia. También compré perfume y cerámica española para mí.

11 ¿Qué dicen?

Copia y completa las frases.

1 Qui_____ com______ un rec________.

2 ¿P_____ q_____ es?

?

3 Es p___ mi m____ .

4 ¿C______ es?

5 Son 1.000 p-------- .

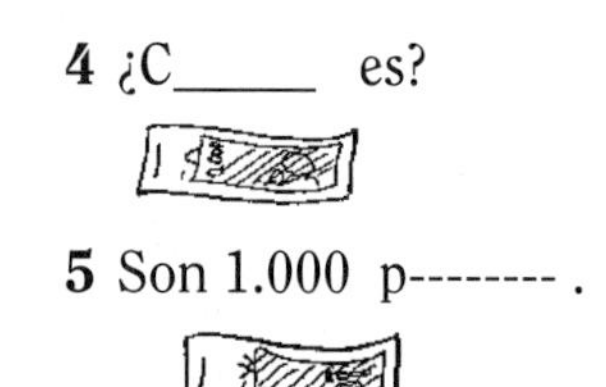

12 ¿Qué hay en la tienda de recuerdos?

★ Hay llaveros.

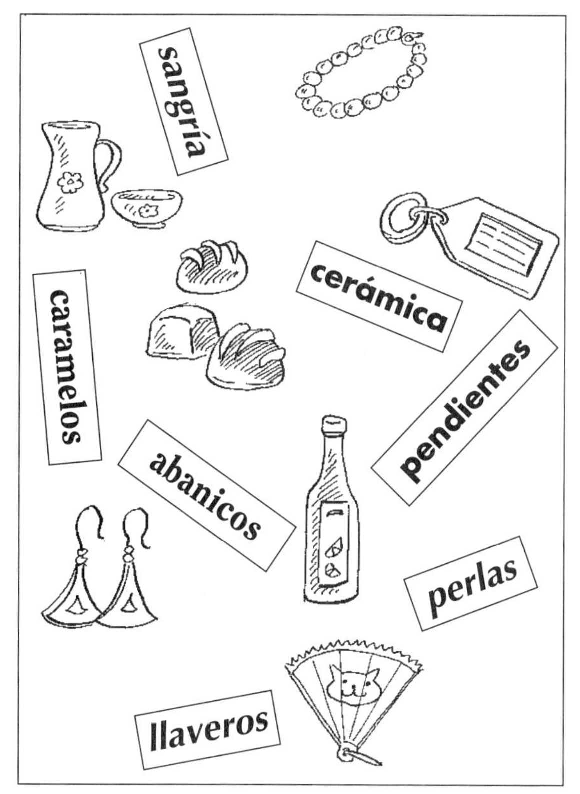

13 ¿Qué compré? ¿Para quién?

★ 1 Compré perfume para María.

14 ¿Y tú?

Mira 9. Escribe tu lista de recuerdos y precios.

Mi lista de recuerdos

un abanico .... 900 ptas

Vocabulario

la tienda de recuerdos	*the souvenir/gift shop*	compré	*I bought*
quiero comprar un recuerdo	*I want to buy a souvenir/gift*	un llavero (llaveros)	a *keyring (keyrings)*
¿para quién es?	*who is it for?*	perfume	*perfume*
es para ...	*it's for ...*	caramelos	*sweets*
mi madre	*my mother*	sangría	*sangria (Spanish drink)*
mi padre	*my father*	cerámica	*pottery*
mi amigo	*my friend (male)*	perlas	*pearls*
mi amiga	*my friend (female)*	pendientes	*earrings*
mí	*me*	un abanico (abanicos)	*a fan (fans)*
hay ...	*there is, there are ...*	¿cuánto es?	*how much is it?*

8 ¿Dónde está la playa?

It goes without saying that a visit to the beach will figure on your list of things to do. But what if you get lost? Don't panic! This unit will not only show you how to ask where the beach is, but also help you to understand the reply.

1 1-5 ¿La playa? ¿Sí o no?

Escribe sí o no.

★ 1 *no*

el banco

la playa

el supermercado

2 1-6 ¿Siga todo recto, a la derecha o a la izquierda?

Dibuja ↑, → o ←.

todo recto

a la derecha

a la izquierda

★ 1 →

3 1-6 ¿Primera, segunda o tercera? ¿← o →?

★ 1: 2 ←

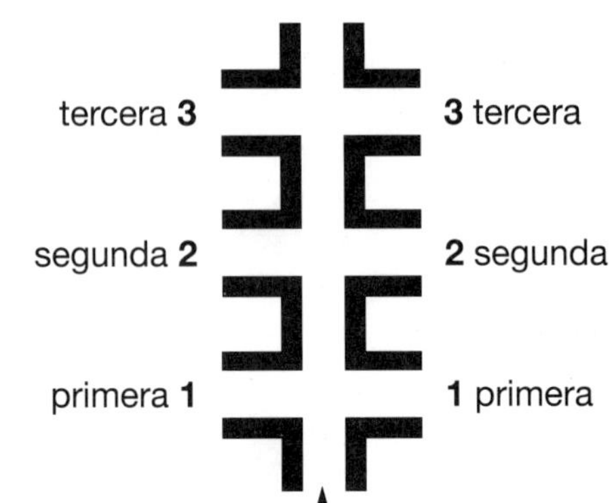

4 ¿Dónde está la playa?

Practica las preguntas.

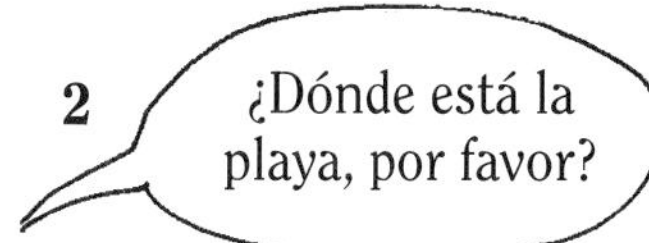

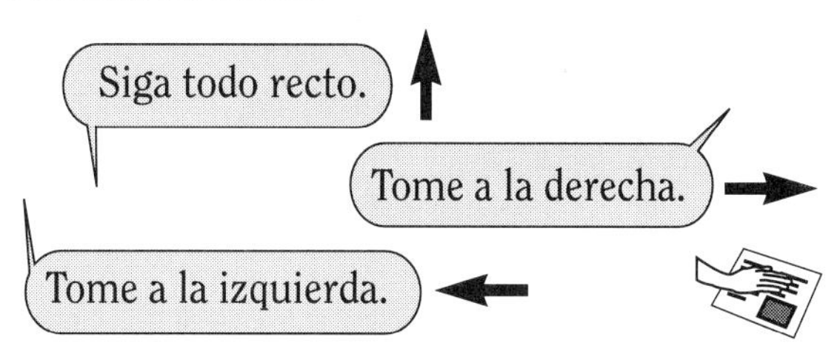

5 ¡No lo sé!

Mira 4.

A .... ¿Dónde está la playa? .....

B ¡No lo sé!

★ 2
A ¿Dónde está la playa, por favor?
B ¡No lo sé!

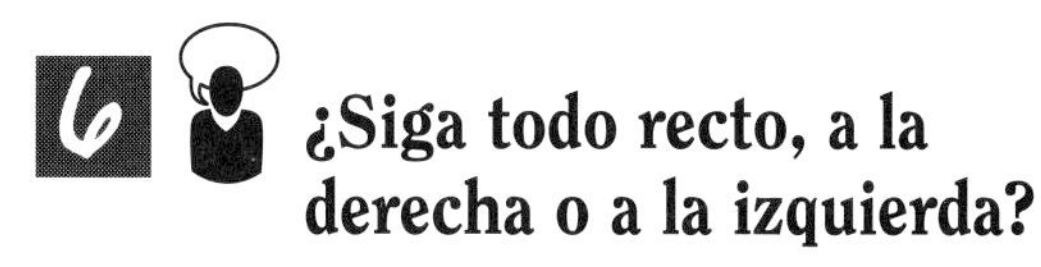

6 ¿Siga todo recto, a la derecha o a la izquierda?

Practica las frases.

Siga todo recto. ↑

Tome a la derecha. →

Tome a la izquierda. ←

7 ¿Dónde está la playa?

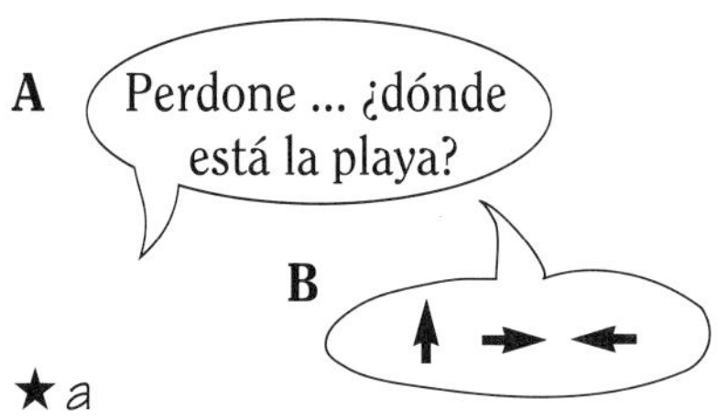

★ a
A Perdone, señora, ¿dónde está la playa, por favor?
B Tome a la izquierda.
A Gracias. Adiós.
B De nada. Adiós.

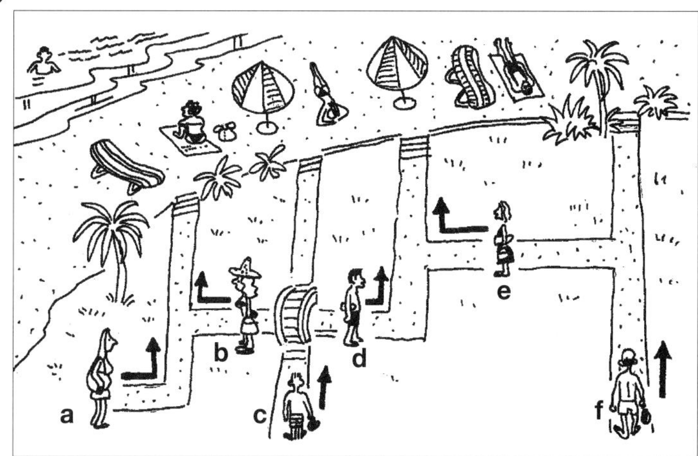

8 Tome ...

- Tome ... la primera, la segunda, la tercera
- a la derecha, a la izquierda
- Tome la .... a la ....

★ a ● Tome la primera ● a la izquierda ● Tome la primera a la izquierda.

9 ¿Dónde está la playa?

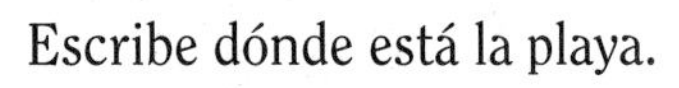

Escribe dónde está la playa.

1 

2

3

4 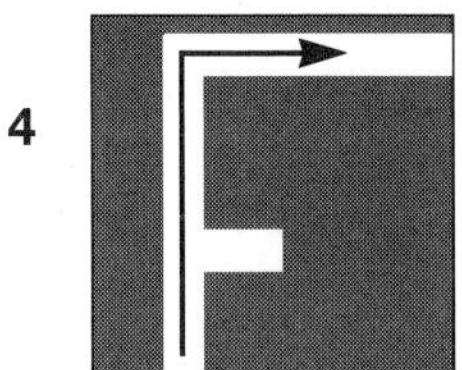

5 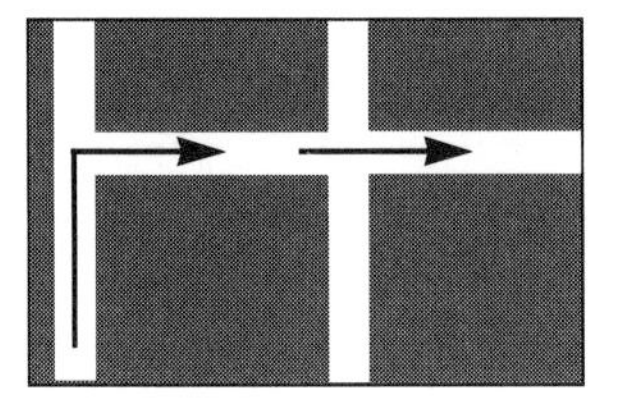

6 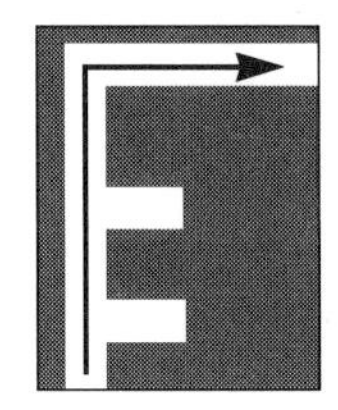

7 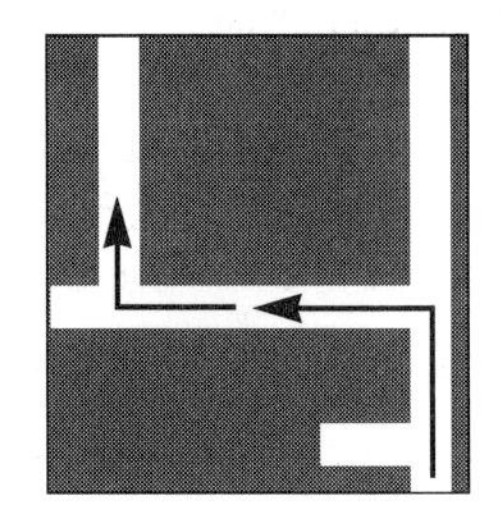

★ 1 Tome a la izquierda.

10 ¿Dónde está la playa?

A Perdone, señora (señor) ¿........?

B (*Mira* 9). ....

★ 1
A Perdone, señora (señor), ¿dónde está la playa?
B Tome a la izquierda.

11 ¿Dónde está?

Escribe **1**, **2** o **3** y dibuja ↑ → ←.

★ a (el hotel Maxim): 2 ←

a El hotel Maxim, vamos a ver, tome la segunda a la izquierda. No está muy lejos.
b Pues sí, bar el Molino, tome la tercera a la derecha. Está a unos cinco minutos.
c La playa, mire Vd, siga todo recto. Está a unos dos kilómetros de aquí.
d Bueno, la comisaría, tome la primera a la derecha y siga todo recto. Vd verá la comisaría en la esquina de la calle Alfonso XIII.
e El banco, pues sí, tome la tercera a la izquierda donde está el semáforo. Luego tome la primera a la derecha.
f ¿La discoteca? Siga todo recto hasta el semáforo y tome la tercera a la izquierda. Vd verá la discoteca en la calle San Fermín.
g A ver, la farmacia, ... tome la segunda a la derecha, luego la primera a la izquierda. Vd verá la farmacia en la esquina de la Avenida Trébol.

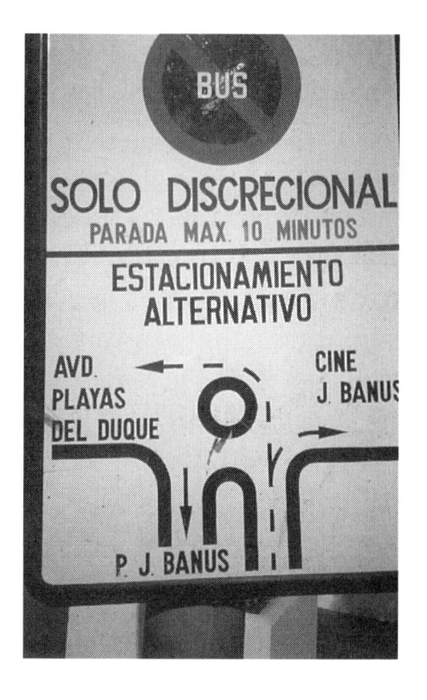

12 ¿Dónde está?

Completa cada frase.

★ 1 No lo sé.

1 N* l* s*. ?
2 S*g* t*d* r*ct*. ↑
3 T*m* a l* d*r*ch*. →
4 *o*e l* s*g*nd* a l* d*r*ch*.
5 T*m* l* t*rc*r* a l* d*r*ch*.
6 *o*e a l* *zq***rd*. ←
7 P*rd*n*, ¿d*nd* *st* l* pl*y*? ?

Vocabulario

perdone, señora	*excuse me, madam*	tome ...	*turn, take ...*
perdone, señor	*excuse me, sir*	a la derecha	*right*
¿dónde está ...?	*where is ...?*	a la izquierda	*left*
la playa	*the beach*	la primera	*the first street*
no lo sé	*I don't know*	la segunda	*the second street*
siga todo recto	*go straight on*	la tercera	*the third street*

9 Cómo cambiar dinero

When you travel abroad, it is always a good idea to take traveller's cheques. Only carry as much cash as you need day by day, in case of loss or theft. Your hotel will probably cash your traveller's cheques. But beware, hotels sometimes charge a higher rate. You might get a better rate of exchange from the *Banco, Caja de Ahorros* or *Cambio*, and these will have their charges on display.

1 1-6 ¿Qué quieren cambiar?

Copia y completa el cuadro.

£	
ptas	★1
cv	

Quisiera cambiar...

£

libras esterlinas

ptas

pesetas

cv

cheques de viaje

2 En el cambio

Escucha y lee.

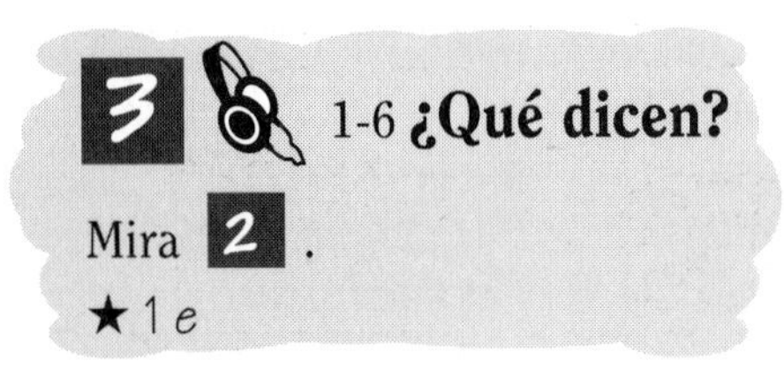

3 1-6 ¿Qué dicen?

Mira 2.

★1 e

1-7 El dinero español – unos billetes

● ¿Cuántos billetes?
● ¿Cuántas pesetas?
Aquí tiene .....

un billete de mil pesetas

1 x 1.000 ptas

tres billetes de mil pesetas

3x 1.000 ptas

dos billetes de dos mil pesetas

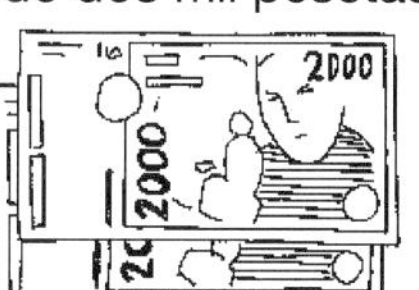

2 x 2.000 ptas

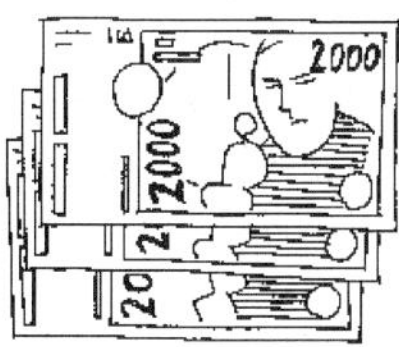

3 x 2.000 ptas

un billete de cinco mil pesetas

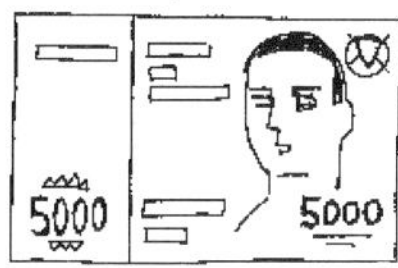

1 x 5.000 ptas

dos billetes de cinco mil pesetas

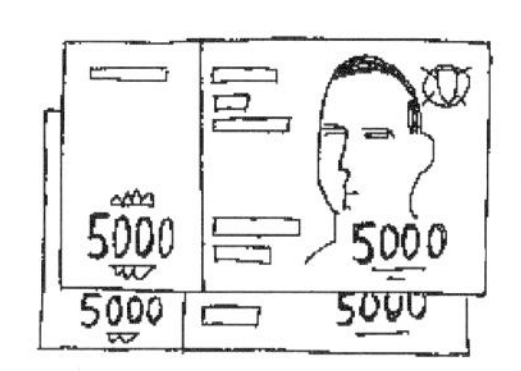

2 x 5.000 ptas

1-7 El dinero español – unas monedas

● ¿Cuántas monedas?
● ¿Cuántas pesetas?

Aquí tiene ...

una moneda de cincuenta pesetas

1 x 50 ptas

tres monedas de cincuenta pesetas

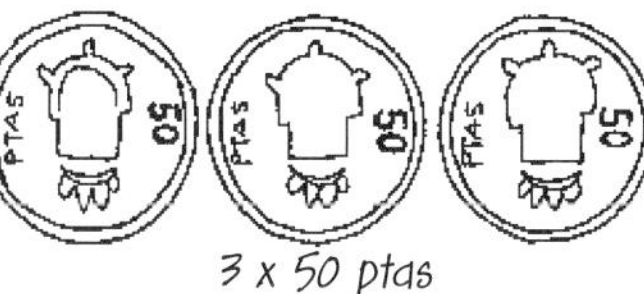

3 x 50 ptas

dos monedas de cien pesetas

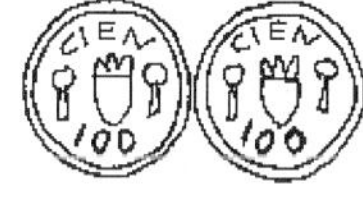

2 x 100 ptas

una moneda de doscientas pesetas

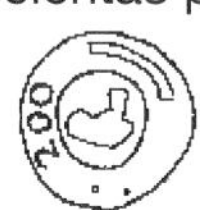

1 x 200 ptas

dos monedas de doscientas pesetas

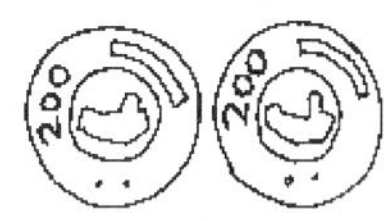

2 x 200 ptas

tres monedas de doscientas pesetas

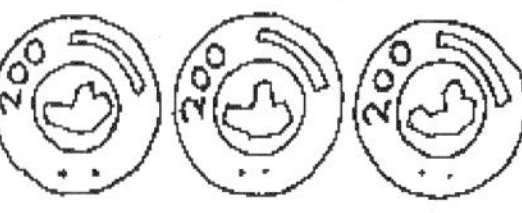

3 x 200 ptas

6 En el cambio

Practica las frases.

... libras esterlinas

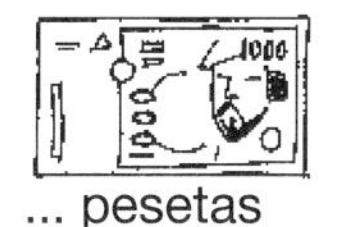

... pesetas

TRAVELLER'S CHEQUES

... cheques de viaje

7 En la Caja de Ahorros

Practica las frases.
Aquí tiene ...

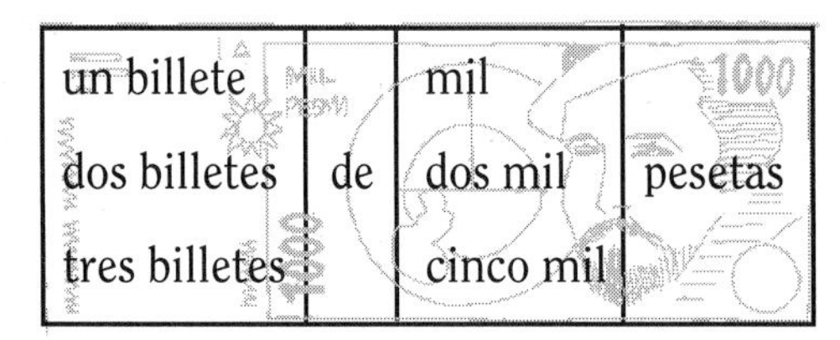

un billete		mil	
dos billetes	de	dos mil	pesetas
tres billetes		cinco mil	

★ a Aquí tiene ... un billete de dos mil pesetas.

a 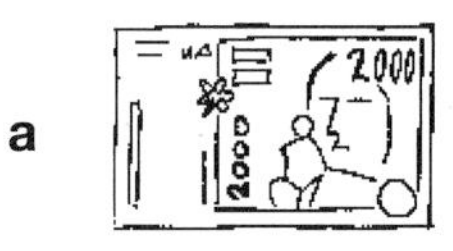

b 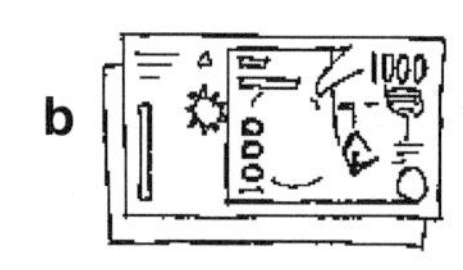

c 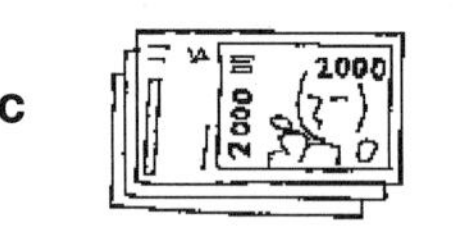

d 

e 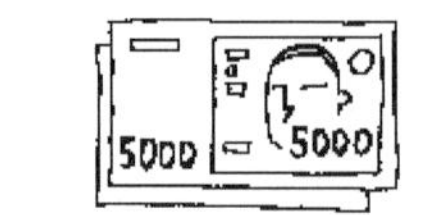

f 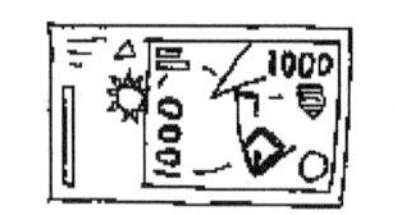

8 En el banco

Practica el diálogo.

9 Unos diálogos en el banco

Practica estos diálogos.

a 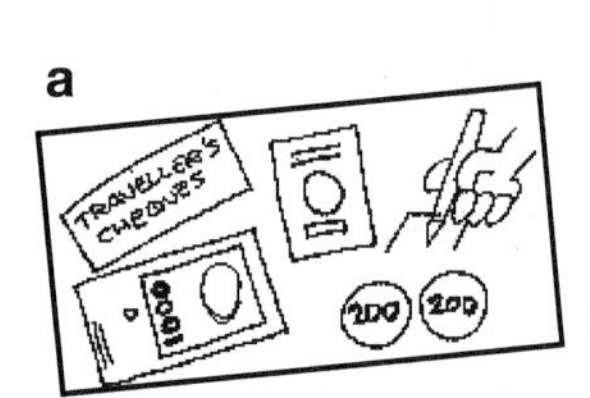

b 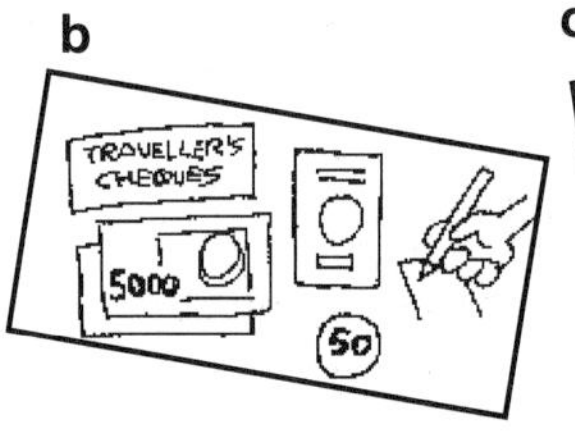

c 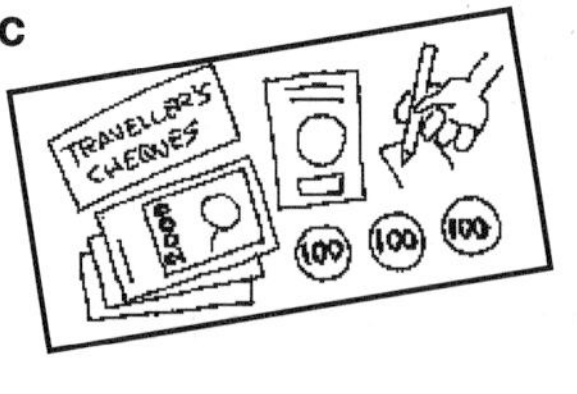

d 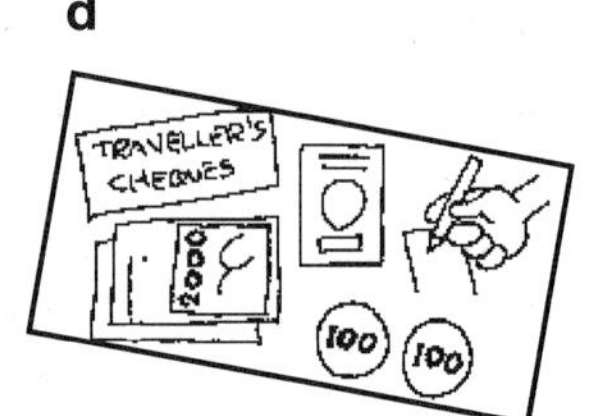

★ a

A Buenos días. Quisiera cambiar cheques de viaje.
B Muy bien. ¿Tiene su pasaporte?
A Sí, aquí tiene.
B Bueno, ¿quiere firmar los cheques?
Pues, aquí tiene un billete de mil pesetas y dos monedas de doscientas pesetas.

10 ¿Cuánto cuesta?

Empareja.
★ *1 c*

1 Aquí tiene cincuenta pesetas.
2 Cuesta mil pesetas.
3 Ése cuesta cinco mil pesetas.
4 Aquí tiene doscientas pesetas.
5 Cuesta dos mil pesetas.
6 Aquí tiene cien pesetas.

a 5.000 ptas

d 1.000 ptas

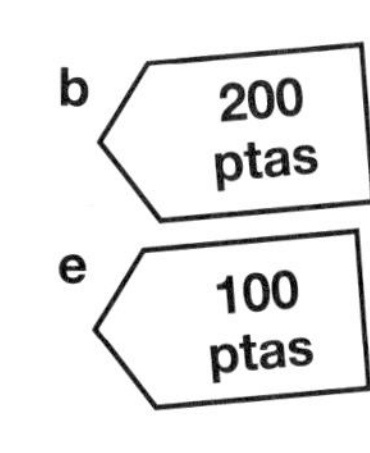

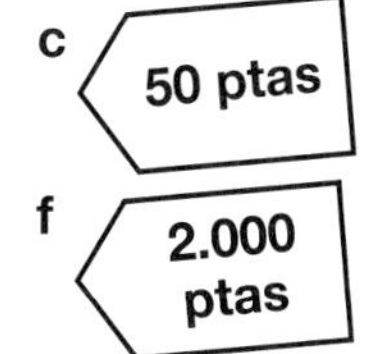

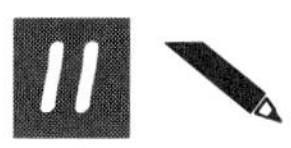

11 ¿Qué es eso?

Escribe 4 frases correctas.
★ *1 una moneda de .....*

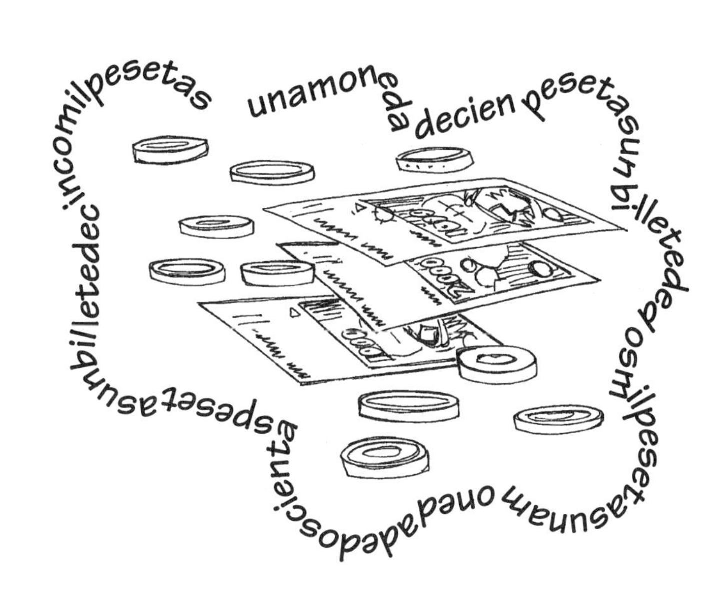

12 ¿Qué dicen?

Escribe las frases en el orden correcto.

1 tiene Sí, aquí.
2 cambiar de viaje Quisiera cheques.
3 esterlinas Quisiera libras cambiar.
4 ¿Quiere los firmar cheques?
5 ¿pasaporte, su favor Tiene por?
6 de cinco Un mil billete pesetas.
7 de Una pesetas moneda doscientas.

★ *1 Sí, aquí tiene.*

Vocabulario

el Banco	*the bank*	aquí tiene	*here it is ...*
la Caja de Ahorros	*the savings bank*		*here they are ...*
el Cambio	*the exchange bureau*	un billete de ...	
quisiera ...	*I would like ...*	pesetas	*a ...peseta note*
quisiera cambiar	*I would like to change*	una moneda de ...	
dinero	*money*	pesetas	*a ...peseta coin*
libras esterlinas	*pounds sterling*	cincuenta	*50*
cheques de viaje	*traveller's cheques*	cien	*100*
¿quiere firmar	*will you sign*	doscientas	*200*
los cheques?	*the cheques?*	mil	*1000*
¿tiene su	*have you got your*	dos mil	*2000*
pasaporte?	*passport?*	cinco mil	*5000*

10 ¿Qué tiempo hace?

One thing is for certain, if you visit Spain in the summer, it is likely to be HOT! In Andalucía, in the south, temperatures can reach as high as 45°C; one town, Ecija, gets so hot that it is called *La Sartén*, the frying pan. The weather might not always turn out as expected, however, so you need to check the forecast – *pronóstico* – before planning a trip.

El País

1-5 ¿Nieva o hay niebla?

a nieva

b hay niebla

★ 1 b

1-7 ¿Qué tiempo hace?

★ 1 f

c hace sol

e hace viento

d hace calor

f hace buen tiempo

1-7 ¿Qué tiempo hace?

★ 1 h

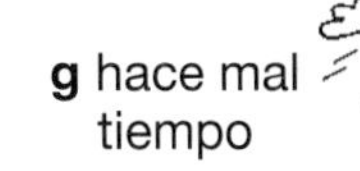

g hace mal tiempo

h hace frío

i llueve

j está nublado

4 1-5 Los países de Europa

Escribe el símbolo.

★ 1 GB

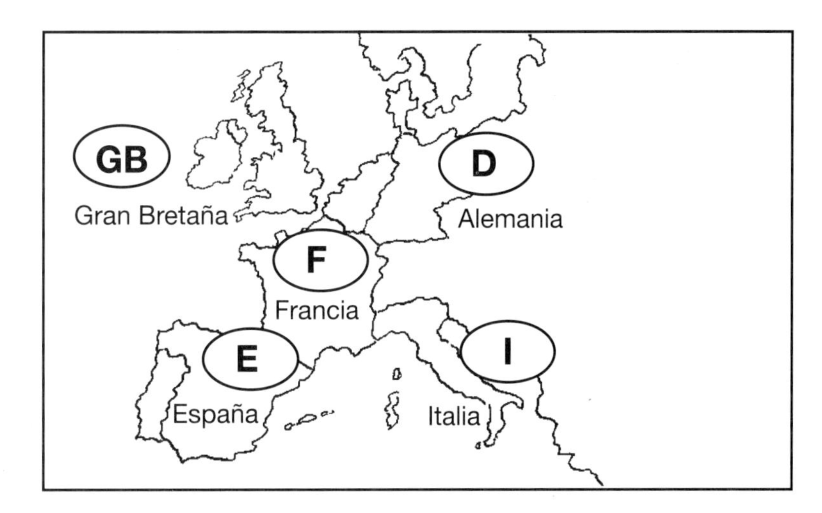

5 1-5 ¿Qué tiempo hace en Europa?

6 ¿Qué tiempo hace?

★ 1 F a h

7 ¿Qué tiempo hace?

B *(Dibuja 6 símbolos. Escóndelos.)*

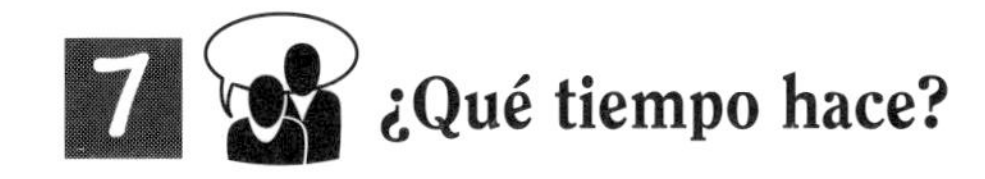

A ¿Qué tiempo hace?

B Llueve.

A *(Dibuja el tiempo que hace.)*

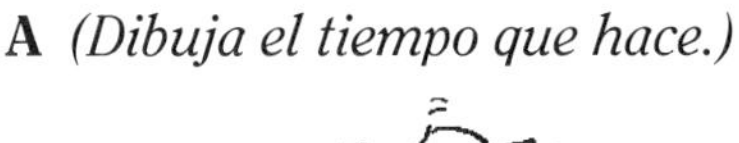

★ A ¿Qué tiempo hace?
B Llueve.
A

8 Un juego de memoria

Hace ...

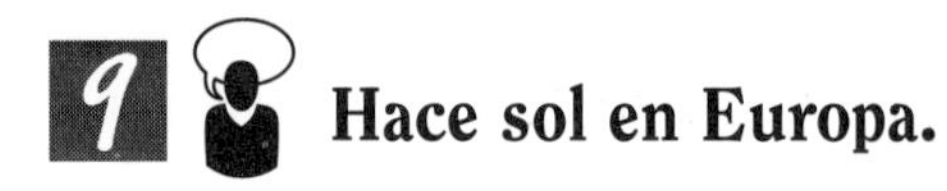

9 Hace sol en Europa.

Hace sol en .....

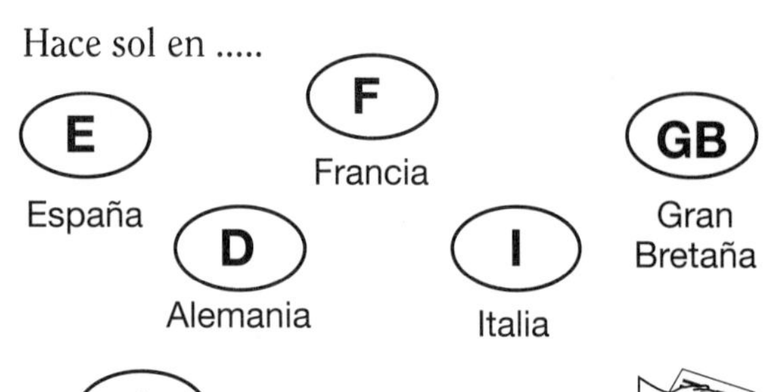

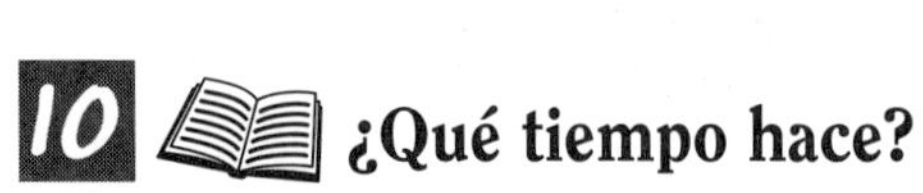

10 ¿Qué tiempo hace?

Busca el intruso.

★ 1 a

1 a Hace calor.
b Hace frío.
c Nieva.
d Hace mal tiempo.

2 a Hace calor.
b Hace sol.
c Llueve.
d Hace buen tiempo.

3 a Está nublado.
b Hace viento.
c Hace sol.
d Llueve.

4 a Hay niebla.
b Hace buen tiempo.
c Hace frío.
d Hace mal tiempo.

11 El pronóstico

¿Verdad o mentira?

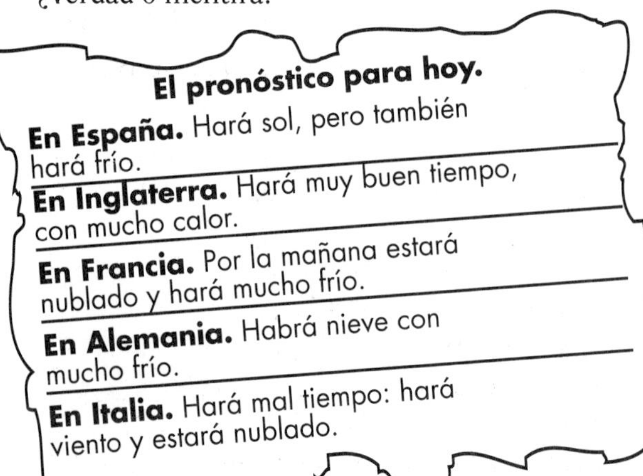

El pronóstico para hoy.

En España. Hará sol, pero también hará frío.

En Inglaterra. Hará muy buen tiempo, con mucho calor.

En Francia. Por la mañana estará nublado y hará mucho frío.

En Alemania. Habrá nieve con mucho frío.

En Italia. Hará mal tiempo: hará viento y estará nublado.

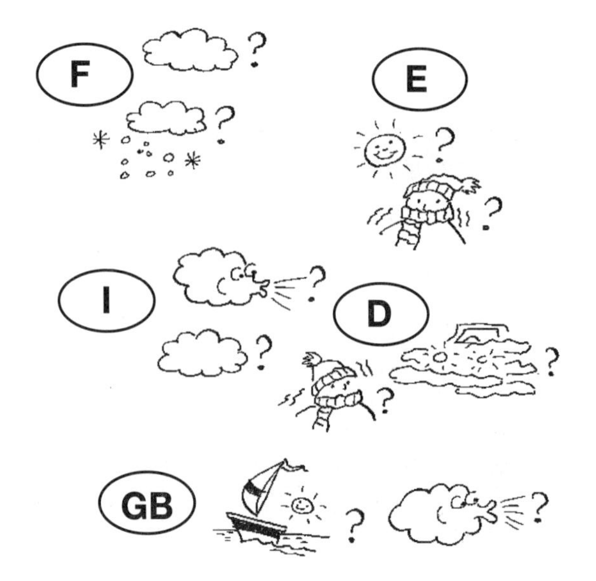

12 Unas postales

Dibuja el tiempo y el símbolo. ★ 1

13 Unas postales

Mira 12. Escribe qué tiempo hace.

★ 1 Hace buen tiempo.

14 Los países de Europa

¿Qué es?

★ 1 Gran Bretaña

15 ¿Y tú? Escribe tu postal.

Mira 12.

Vocabulario

¿qué tiempo hace?	*what's the weather like?*	nieva	*it's snowing*
el pronóstico	*the weather forecast*	llueve	*it's raining*
hace sol	*it's sunny*	está nublado	*it's cloudy*
hace viento	*it's windy*	en España	*in Spain*
hace frío	*it's cold*	en Francia	*in France*
hace calor	*it's hot*	en Inglaterra	*in England*
hace buen tiempo	*the weather is nice*	en Gran Bretaña	*in Great Britain*
hace mal tiempo	*the weather is bad*	en Italia	*in Italy*
hay niebla	*it's foggy*	en Alemania	*in Germany*

11 En la estación de trenes

The Spanish railway station will be signposted *RENFE.* Once inside, make for the *Taquilla* to buy your ticket. This unit will teach you how to buy a ticket, ask for the right platform, and understand some of the other words you will come across at the station. *¡Buen viaje!*

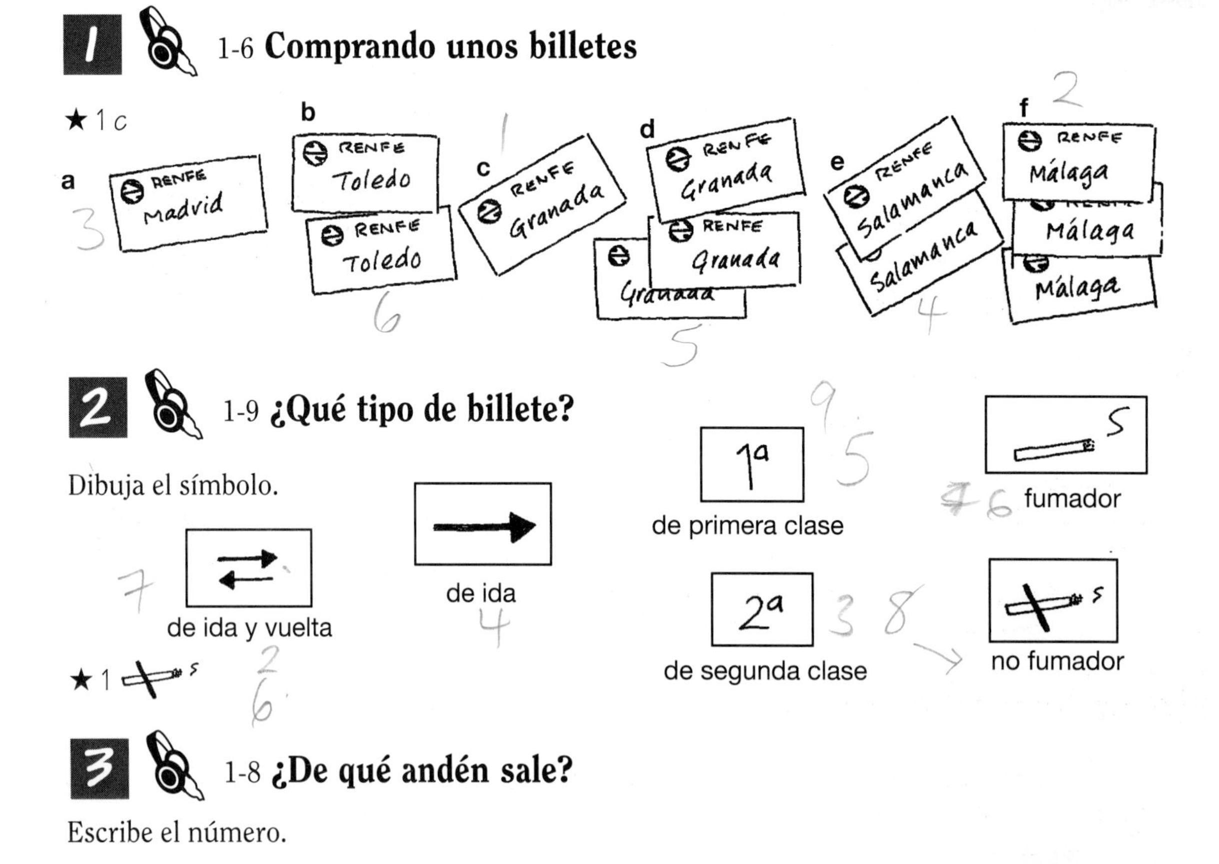

1 1-6 Comprando unos billetes

★ 1 c

a b c d e f

2 1-9 ¿Qué tipo de billete?

Dibuja el símbolo.

de ida y vuelta

de ida

1ª de primera clase

2ª de segunda clase

fumador

no fumador

★ 1

3 1-8 ¿De qué andén sale?

Escribe el número.

ANDÉN 2	ANDÉN 5	ANDÉN 8	ANDÉN 3	ANDÉN 6	ANDÉN 4	ANDÉN 7	ANDÉN 1

★ 1: 5

4 1-5 Comprando billetes

Copia el cuadro y completa.

		ida	ida y vuelta	1ª clase	2ª clase	fumador	no fumador	andén
		→	⇄	1ª	2ª			ANDÉN 6
Madrid	1	★ ✔			★ ✔		★ ✔	★ 5
Salamanca	2							
Toledo	3							
Granada	4							
Málaga	5							

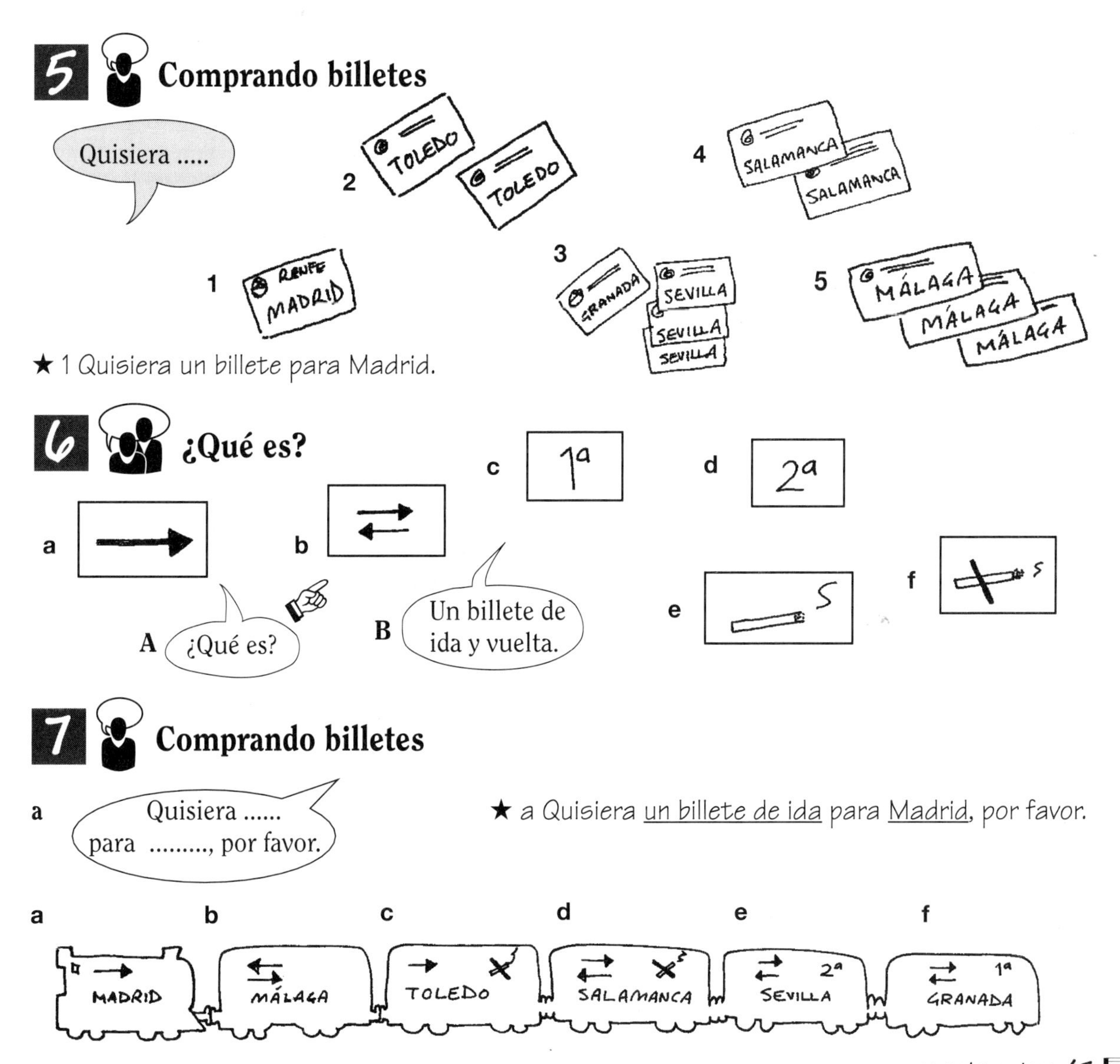

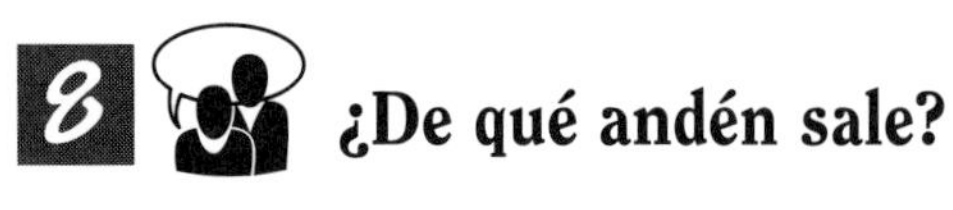

8 ¿De qué andén sale?

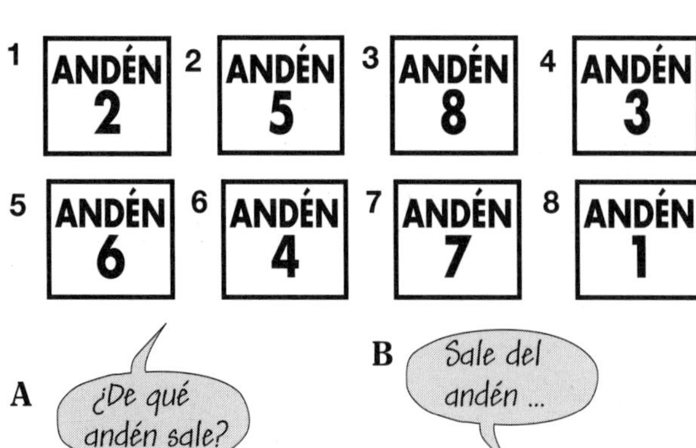

★ 1
A ¿De qué andén sale?
B Sale del andén dos.

9 ¿Qué tipo de billete?

Empareja las palabras con los símbolos.

a andén 6
b fumador
c primera clase
d un billete de ida
e no fumador
f segunda clase
g un billete de ida y vuelta

1 → 2 ⇄ 3 1ª 4 (fumador) 5 (no fumador) 6 2ª 7 ANDÉN 6

★ a 7

10 En la taquilla

Lee las frases y dibuja el símbolo.

★ 1 ⇄ 2ª

1 Quisiera un billete de ida y vuelta, segunda clase.
2 Quisiera un billete de primera clase.
3 Quisiera fumador.
4 Quisiera un billete de segunda clase, por favor.
5 Quisiera no fumador.
6 Quisiera un billete de ida.

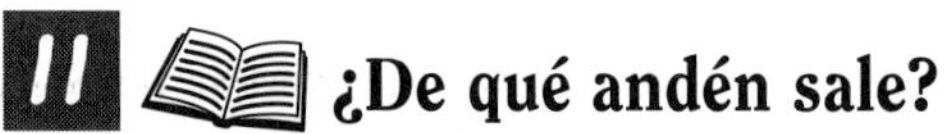

11 ¿De qué andén sale?

Clase de tren	SALIDAS Andén	Hora			LLEGADAS Hora	Andén
TER	8	08.00	Madrid –>	Burgos	09.15	6
TALGO	3	09.15	Madrid –>	Sevilla	20.00	1
FERROBÚS	2	08.30	Madrid –>	El Escorial	09.00	7
ÓMNIBUS	5	07.30	Madrid –>	Aranjuez	08.15	4

★ 1: 8

1 Un billete para Burgos, por favor. ¿De qué andén sale?
Sale del andén ...

2 Un billete para El Escorial, por favor. ¿De qué andén sale?
Sale del andén ...

3 Un billete para Sevilla, por favor. ¿De qué andén sale?
Sale del andén ...

4 Un billete para Aranjuez, por favor. ¿De qué andén sale?
Sale del andén ...

12 Las palabras en la estación de trenes

Busca y escribe las palabras. ¿Qué es en inglés?

★ billete = ticket

B-L-E-E P-I-E-A F-M-D-R S-G-N-A A-D-N L-E-A-AS S-L-D-S I-A Y V-E-T

13 Un diálogo en la estación de trenes

Escribe el diálogo y completa.

- Buenos ****. Quisiera un ******* para ******.
- ¿De ida y ******?
- Sí.
- ¿Primera o ******* clase?
- De primera, por *****.
- ¿******* o no fumador?
- Fumador. ¿De qué ***** sale?
- Sale del andén ****.

★ Buenos días.......

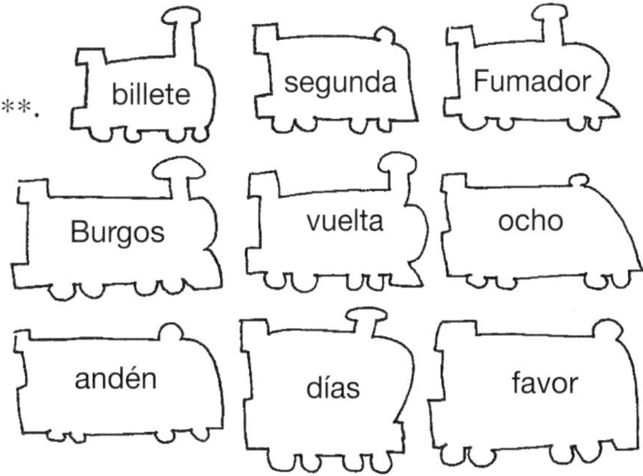

14  En la taquilla

Escribe las frases.

1 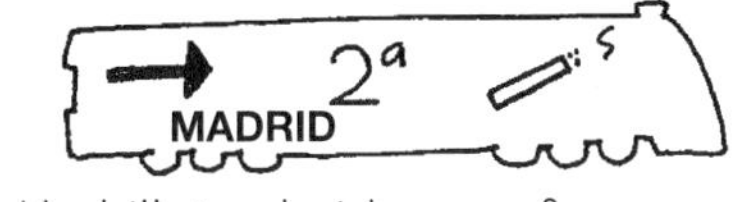

2 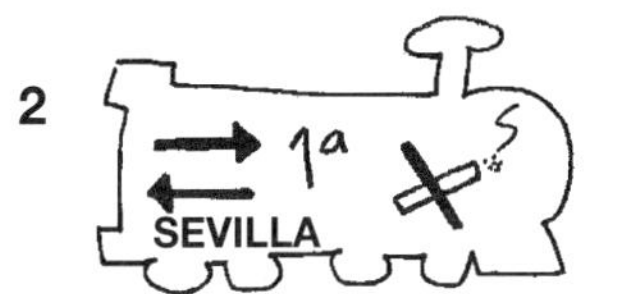

3 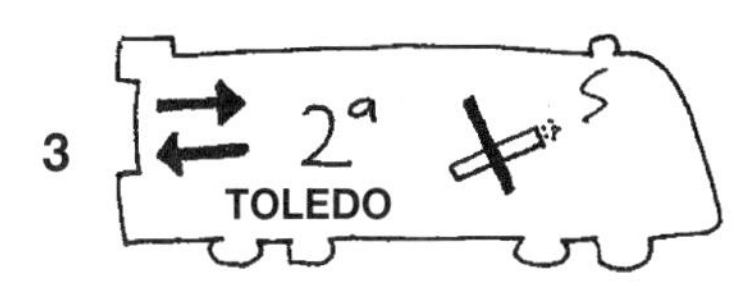

★ Un billete de ida, por favor ....

Vocabulario

RENFE (Red Nacional de Ferrocarriles Españoles)	*the Spanish rail network*
un billete para ...	*a ticket for ...*
dos, tres billetes	*two, three tickets*
un billete de ida y vuelta	*a return ticket*
un billete de ida	*a single ticket*
de primera clase	*first class*
de segunda clase	*standard class*
fumador	*smoking*
no fumador	*non-smoking*
¿de qué andén sale?	*which platform does it leave from?*
sale del andén 5	*it leaves from platform 5*
uno, dos, tres, cuatro, cinco, seis, siete, ocho	*one, two, three, four, five, six, seven, eight*
quisiera	*I would like*
llegadas	*arrivals*
salidas	*departures*
TER, TALGO	*Intercity, high speed trains*
FERROBÚS, ÓMNIBUS	*slow, local trains*

12 Cómo rellenar una ficha

Booking into a hotel or campsite, changing traveller's cheques or reporting lost property, the chances are you will have to fill in a form. This unit will help you do just that, but before you start, you will need to work out – and learn – how to say and write your own age and date of birth in Spanish.

Banco de Bilbao

Sr. ❑ Sra. ❑ Srta. ❑
Nombre:
Apellido:
Edad:
Fecha de nacimiento:
Nacionalidad:
Dirección: Calle
Pueblo/Ciudad País

1 1-6 ¿Nombre o apellido?

Caja de Ahorros

Nombre *Anna*
Apellido *Smith*

Escribe **N** o **A**.

★ 1 N

2 1-6 ¿Su nombre y su apellido?

¿Verdad o mentira? Escribe **V** o **M**.

★ 1 V

1 Derek Jones

2 Christine Doherty

3 Ignacio López

4 Paul Dodds

5 Ana Real

6 Patricia Alba

3 1-7 ¿Qué dicen?

Escucha y lee.

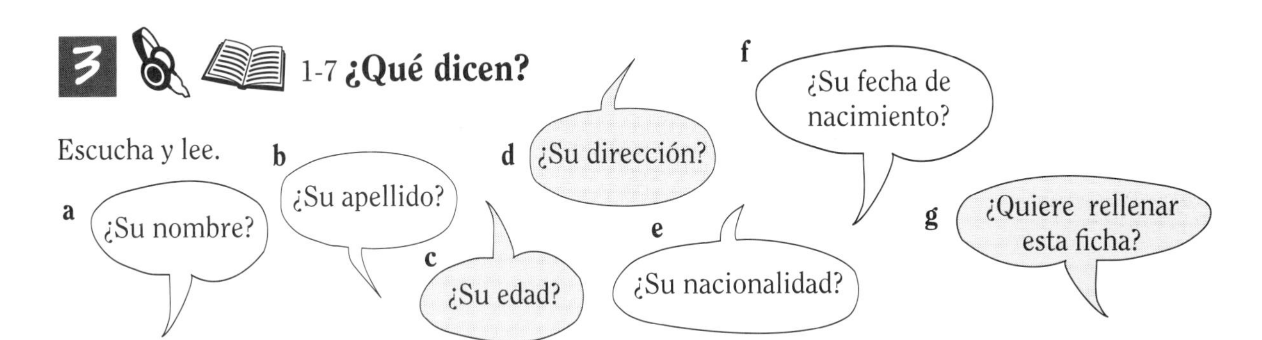

4 1-7 ¿Qué dicen?

Mira 3.

★ 1 c

5 1-8 ¿Su nacionalidad, por favor?

- Escribe **E** o **GB**.  

- Dibuja 

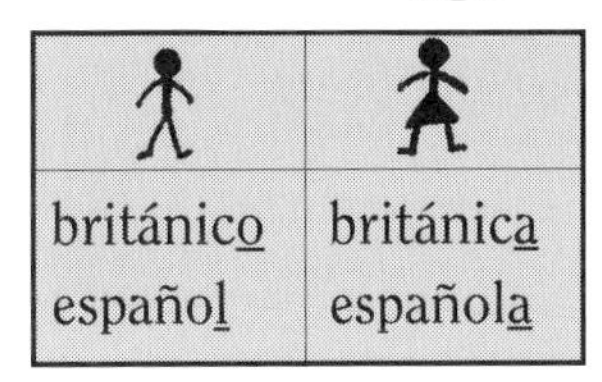

(masculino)	(femenino)
británic<u>o</u>	británic<u>a</u>
españo<u>l</u>	español<u>a</u>

★ 1 GB 

6 En el hotel

Practica el diálogo.

A ¿Su nombre, por favor?
B Susana.
A ¿Y su apellido?
B Caballo.

A ¿Su dirección, por favor?
B Calle Alfonso, número 5, Santander, España.

A ¿Su nacionalidad?
B Soy española.

A ¿Y su edad?
B Quince años.
A ¿Y su fecha de nacimiento?
B El tres de febrero.

7 En el hotel

Mira 6. Copia la ficha y rellena para dos amigos.

Hotel Rosamundo

Nombre ________________

Apellido ________________

Edad ________________

Fecha de nacimiento ________________

Nacionalidad ________________

Dirección ________________

Calle ________________

Pueblo/Ciudad ________________

País ________________

★

A ¿Su nombre, por favor?
B Martin.
A ¿Y su apellido?
B Fry.
A ¿Su ....?

Hotel Rosamundo

Nombre Martin

Apellido Fry

8 ¿Qué es eso?

Empareja.

★ 1 h

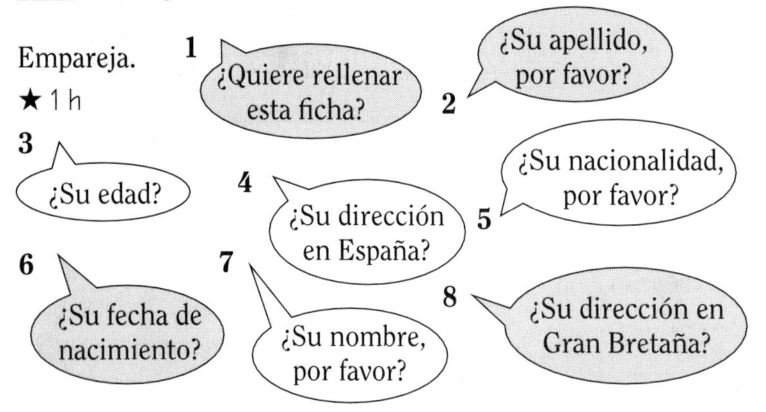

a 27 Dene Street, Dudley.
b Tengo 14 años.
c La Calle Domingo, 26, Madrid.
d Soy inglesa.
e El 14 de febrero.
f Soy Carmen.
g Me llamo Smith.
h ¿Rellenar esta ficha? ¡Sí, sí!

9 Una dirección

- Copia y completa esta dirección.

MI DIRECCIÓN
Calle
Pueblo/Ciudad
País

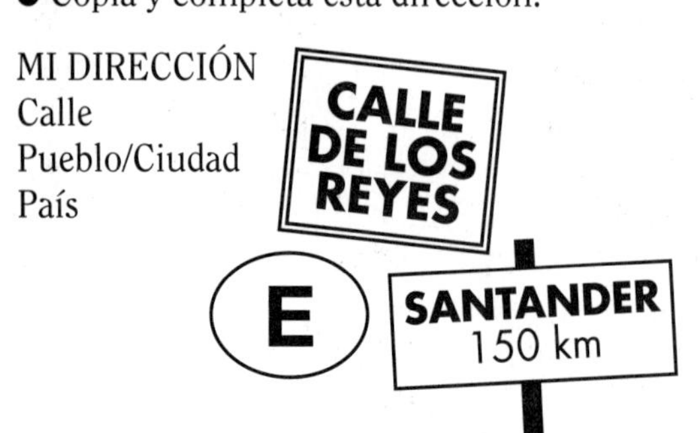

- ¿Y tu dirección?

Copia y completa tu dirección.

MI DIRECCIÓN

Calle ________________

Pueblo ________________

País ________________

10 Rellenando unas fichas

- Copia tres fichas.
- Rellena las fichas.

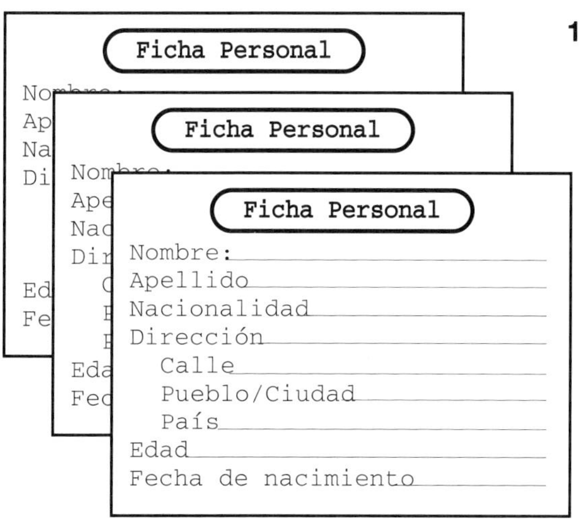
Ficha Personal
Nombre:
Apellido
Nacionalidad
Dirección
Calle
Pueblo/Ciudad
País
Edad
Fecha de nacimiento

1 ¡Hola! ¿Qué tal? Soy Paco Alvarez, y tengo 22 años. Mi fecha de nacimiento es el 5 de enero. Vivo en la calle de los Santos 24, Málaga, España. Soy español, claro.

2 ¡Hola! Me llamo María Rodríguez. Tengo 15 años y mi fecha de nacimiento es el 12 de junio. Mi dirección es Calle San Vicente, 130, Sevilla, España. Soy española.

3 ¡Hola! Soy Peter Richards. Mi nombre es Peter y mi apellido es Richards. Tengo 30 años y mi fecha de nacimiento es el 2 de agosto. Vivo en la calle San Juan, 54 en una ciudad que se llama Granada. Vivo en España pero soy británico.

★ 1

Ficha Personal
Nombre: Paco

11 ¿Y tú?

Copia y completa:

¡Hola! Mi nombre es .... y mi apellido es ....
Tengo .... años de edad y mi fecha de nacimiento es el .... de .... Soy .... Vivo en la calle .... en la ciudad / el pueblo } de .... en Gran Bretaña.

Vocabulario

¿quiere rellenar esta ficha?	*will you fill in this form?*
¿su nombre?	*what is your first name?*
¿su apellido?	*what is your surname?*
¿su nacionalidad?	*what is your nationality?*
¿su dirección?	*what is your address?*
en Gran Bretaña	*in Great Britain*
en España	*in Spain*
¿su edad?	*what is your age?*
¿su fecha de nacimiento?	*what is your your date of birth?*
soy británico, británica	*I'm British*
soy español, española	*I'm Spanish*
la calle	*street*
el pueblo	*town*
la ciudad	*city*
el país	*country*

13 En el camping

Camping is almost certainly a more affordable type of holiday. In Spain, you can rely on getting some good weather. In the summer, campsites do get rather busy, so it's worthwhile booking in advance. This unit will help you book in and ask what facilities are on offer.

1-6 ¿Hay sitio?

Escribe **sí** o **no**.

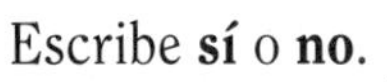

★ 1 sí

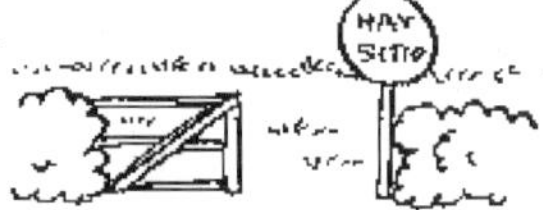

Hay sitio

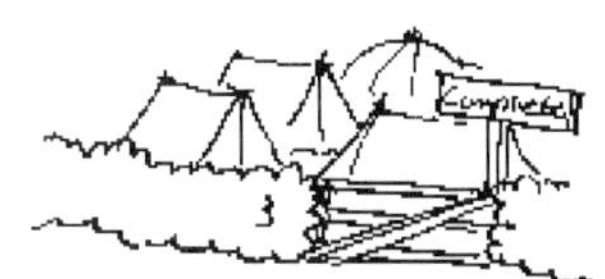

Está completo

1-7 ¿Qué tienen?

Dibuja.

a una tienda

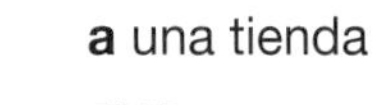

★ 1 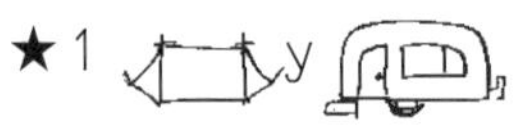

b una caravana

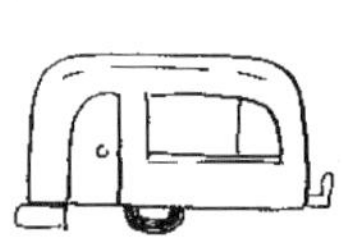

c un coche

1-6 ¿Qué instalaciones hay?

Dibuja el cuadro y completa.

	una barbacoa	un bar	una piscina	duchas	una lavandería	un supermercado	una sala de juegos	un parque infantil
	d	**e**	**f**	**g**	**h**	**i**	**j**	**k**
1	★ ✓			★ ✓				
2								
6								

4
1-4 En el camping
Toma notas.
¿Hay sitio?
a
b
c
d
e
f
g
h
i
j
k
★ 1 sí, tienda, coche, ...
5
¿Hay sitio?
A ¿Hay sitio?
B No, lo siento, está completo.
B Sí, hay sitio.
HAY SITIO
Completo
★ a
A ¿Hay sitio?
B Sí, hay sitio.
6
¿Qué tienen?
RECEPCIÓN
¿Qué tienen?
1 Tenemos
2 Tenemos
3 Tenemos
4 Tenemos
5 Tenemos
6 Tenemos
7 Tenemos
Camping Municipal
El Arroyo
Tarifas
una tienda 1.000 ptas
una caravana 1.200 ptas
un coche 800 ptas
Situado en los alrededores de Cáceres. Abierto todo el año. Capacidad 150 personas.
★ 1
A ¿Qué tienen?
B Tenemos una tienda.

7 ¿Qué instalaciones hay?

1

2
Camping Municipal
La Campana

3
Camping Municipal
Santona

4

una barbacoa
una piscina
una lavandería
una sala de juegos
un bar
duchas
un supermercado
un parque infantil

★ 1
A ¿Qué instalaciones hay?
B Una barbacoa y un bar.

8 En el camping

Aprende de memoria.

1 **A** Buenos días. ¿Hay sitio?
B Sí, hay sitio.

2 **B** ¿Qué tienen?
A Tenemos una tienda, una caravana y un coche.

3 **A** ¿Qué instalaciones hay?
B Un bar, una sala de juegos, una piscina y un supermercado.

¿Qué tienen?

Escribe el precio.

1 Tenemos una tienda.
2 Tenemos una caravana.
3 Tenemos un coche.
4 Tenemos una tienda y un coche.
5 Tenemos una caravana y un coche.
6 Tenemos una caravana y una tienda.
7 Tenemos un coche, una tienda y una caravana.

★ 1.000 ptas

10 ¿Qué instalaciones hay?

Dibuja el cuadro y completa.

A

Camping Municipal
La Manga
lavandería, piscina, barbacoa, bar y duchas
Situado en Santa Ana
Capacidad: 400 personas

B

Camping Municipal
El Mar Menor
supermercado, bar, lavandería, duchas, parque infantil
Capacidad 320 personas

C

Camping Municipal
El Bosque
barbacoa, bar, piscina, duchas, lavandería
Situado cerca de Santander
Abierto de julio a agosto

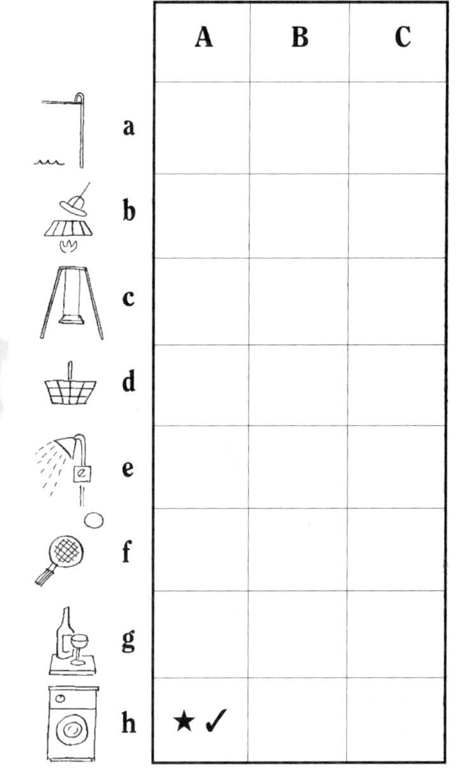

	A	B	C
a			
b			
c			
d			
e			
f			
g			
h	★ ✓		

11 Camping Municipal El Lago

Mira 10. Escribe el letrero.

12 ¿Y tú? Dibuja tu letrero.

Vocabulario

¿hay sitio?	*is there any space?*
sí, hay sitio	*yes, there's space*
lo siento, está completo	*I'm sorry, we're full*
¿qué tienen?	*what do you have?*
tenemos	*we have*
una tienda	*a tent*
una caravana	*a caravan*
un coche	*a car*
dos	*two*
¿qué instalaciones hay?	*what facilities are there?*
una barbacoa	*a barbecue*
un bar	*a bar*
una piscina	*a pool*
duchas	*showers*
una lavandería	*a laundry*
un supermercado	*a supermarket*
una sala de juegos	*a games room*
un parque infantil	*a children's playground*

14 En el restaurante

Eating out? Don't be surprised if other customers say *¡que aproveche!* to you. They are just hoping you enjoy your meal. You can reply *igualmente*, which means 'the same to you'. This unit will help you order some typical food and drinks, and to ask for the bill. On the menu you'll find the starters under *Entremeses*, the main courses under *Platos Principales*, and the drinks under *Bebidas*. Fancy a dessert? Look under *Postres*. But don't ask for 'gateau'; in Spanish this sounds like the word for cat *(el gato)*!

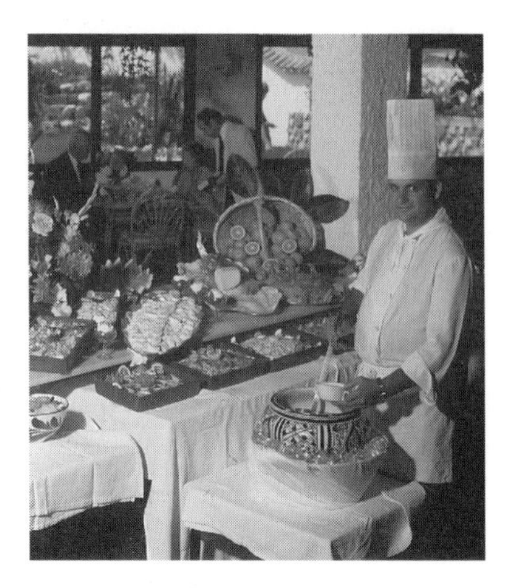

Vocabulario

La carta

the menu

el gazpacho	*cold soup made from tomatoes and peppers*
la sopa de mariscos	*seafood soup*
la ensalada	*salad*
el pollo	*chicken*
la chuleta de cerdo	*pork chop*
el pescado	*fish*
la paella	*paella*
con patatas fritas	*with chips*
un flan	*crème caramel*
fresas con nata	*strawberries and cream*
un helado	*ice cream*
¿para beber?	*what (do you want) to drink?*
una botella de ...	*a bottle of ...*
vino tinto	*red wine*
vino blanco	*white wine*
agua mineral	*mineral water*
¡que aproveche!	*enjoy your meal*
¿qué van a tomar?	*what would you like?*
¿y después?	*and then ...?*
la cuenta, por favor	*the bill, please*

1-5 La carta, por favor.

¿Quién es eso?

★ 1 d

1-9 ¿Qué van a tomar?

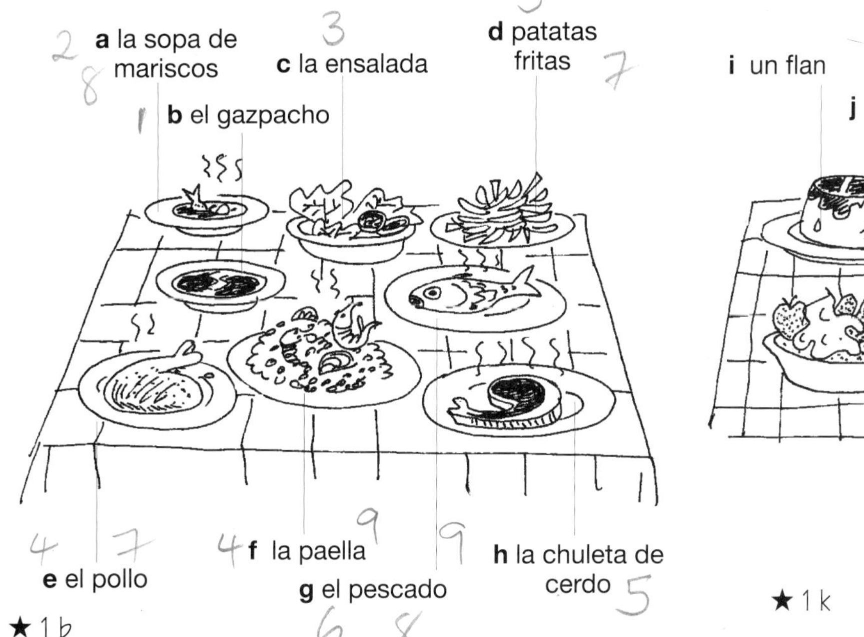

★ 1 b

1-6 ¿Y después?

★ 1 k

1-7 ¿Para beber?

una botella de ...

★ 1 n

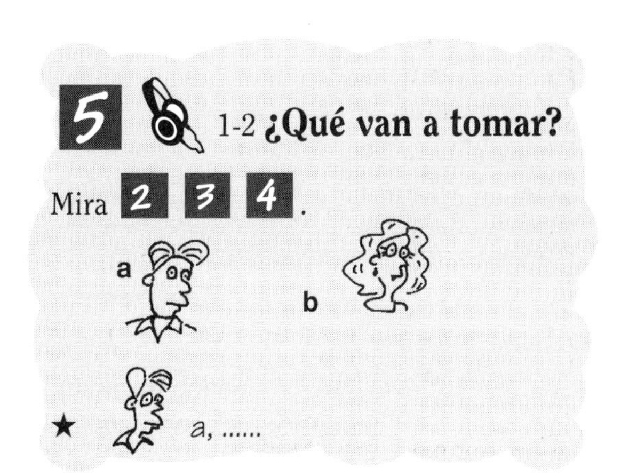

6 La carta, por favor.

Mira **1**.

★ a: ¡La carta, por favor!

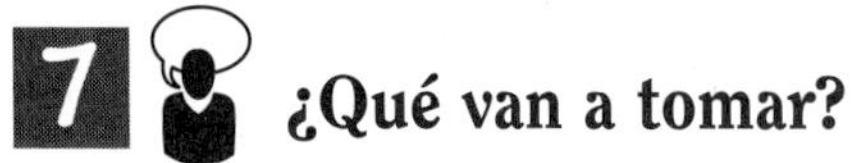

7 ¿Qué van a tomar?

★ 1 La sopa de mariscos ....

8 ¿Para beber?

★
A ¿Para beber?
B Una botella de vino tinto, por favor.

9 En el restaurante

Practica unos diálogos.

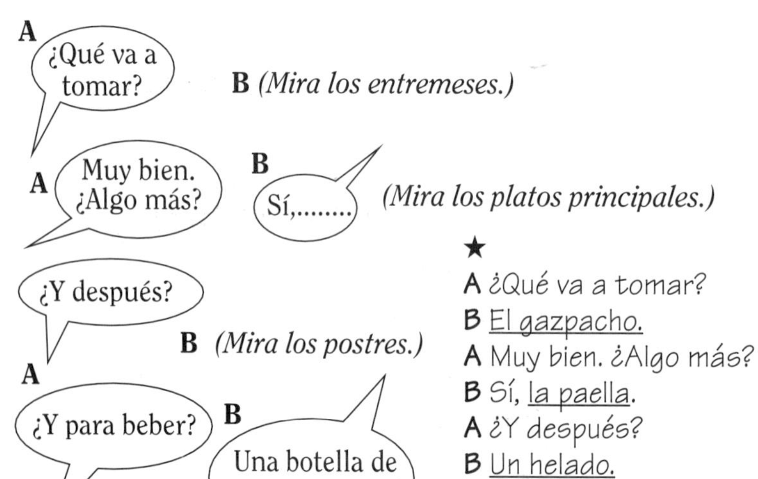

★
A ¿Qué va a tomar?
B El gazpacho.
A Muy bien. ¿Algo más?
B Sí, la paella.
A ¿Y después?
B Un helado.
A ¿Y para beber?
B Una botella de agua mineral, por favor.

El Rincón de Pepe

Entremeses	
sopa de mariscos	400 ptas
ensalada	300 ptas
gazpacho	300 ptas
Platos principales	
pollo	650 ptas
chuleta de cerdo	750 ptas
pescado	600 ptas
paella	700 ptas
con patatas fritas	300 ptas
Postres	
flan	450 ptas
fresas con nata	400 ptas
helado	250 ptas
Bebidas	
botella de vino tinto	1.000 ptas
botella de vino blanco	950 ptas
botella de agua mineral	250 ptas

10 La cuenta, por favor.

Empareja.

★ 1 c

1

El Rincón de Pepe
1 x paella
Servicio Incluido

2

El Rincón de Pepe
1 x chuleta de cerdo con patatas fritas
1 x fresas con nata
1 x botella de vino tinto
Servicio Incluido

3

El Rincón de Pepe
1 x sopa de mariscos
1 x pollo con patatas fritas
1 x flan
Servicio Incluido

4

El Rincón de Pepe
1 x gazpacho
1 x pescado
1 x helado
Servicio Incluido

5

El Rincón de Pepe
1 x ensalada
1 x paella
1 x agua mineral
Servicio Incluido

11 ¿Qué van a tomar?

★ 1 la paella

12 ¿Cuánto es?

Mira 9 10.
Prepara la cuenta.

★ 1: 700 ptas

13 ¿Y tú? Escribe tu menú.

El Rincón de Victoria

Entremeses

Platos principales

Postres

Bebidas

¡Que aproveche!

15 Cómo leer letreros

This unit will help you understand some of the most important signs you will see: in shops, in a dangerous situation, travelling by car or on foot. You are more likely to have to read the signs in this unit than to listen to them, but you never know. Get to know them all really well, as you will certainly see them often.

A En los grandes almacenes

  1-6 **¿Qué es?**

★ 1 *e*

  1-6 **¿Qué es?**

★ 1 *e*

B ¡ATENCIÓN!

3 1-5 **¿Qué es?**

★ 1j

4 1-7 **¿Qué es?**

★ 1j

C En el garaje

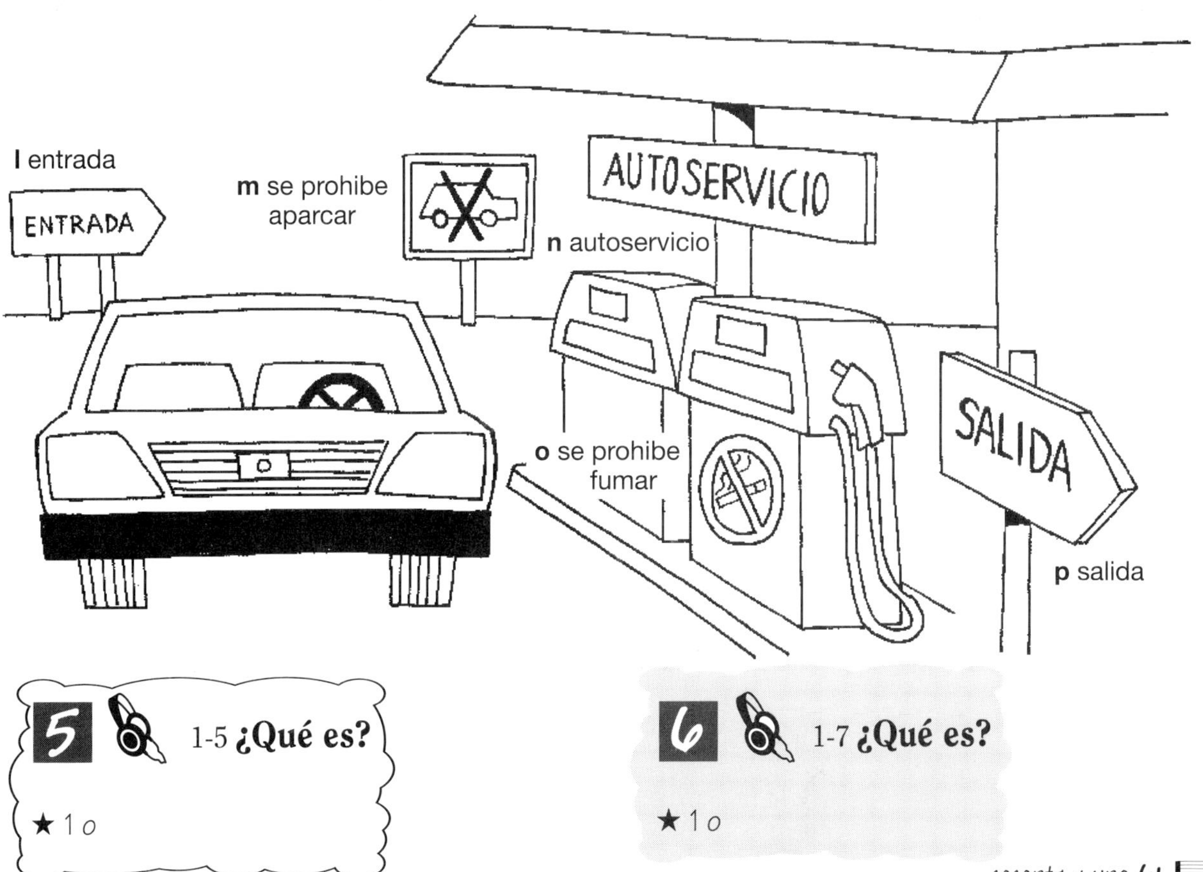

5 1-5 **¿Qué es?**

★ 1o

6 1-7 **¿Qué es?**

★ 1o

7 ¿Qué es eso?

- **A** *(Mira los letreros a-f.)*

- **B** *(Mira los letreros g-k.)*
- **C** *(Mira los letreros l-p.)*

8 Los blockbusters

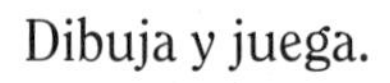

Dibuja y juega.

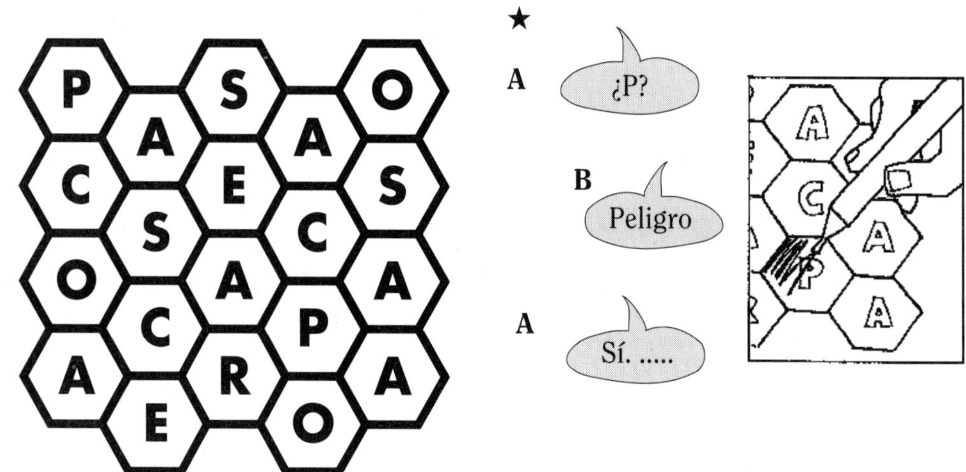

9 ¿Qué son?

Empareja. ★ 1 d

a caja
b cerrado
c salida
d rebajas
e se prohibe fumar
f ascensor
g autoservicio
h entrada
i aseos
j abierto

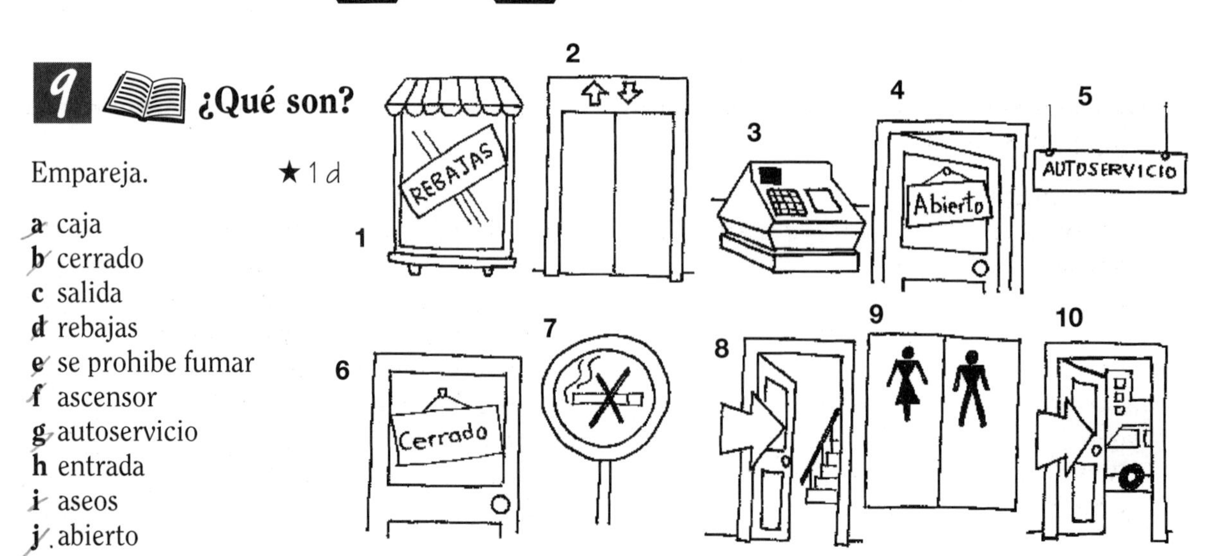

10 En la ciudad

● ¿Sí o no?

★ 1 sí

1 ¡PELIGRO!
2 ¡Ojo!
3 Se prohibe aparcar
4 Atención
5 Ceda el paso
6 Acceso prohibido

11 Unos letreros

Dibuja el letrero.

★ 1 !

1 Atención
2 Ceda el paso
3 Acceso prohibido
4 Se prohibe aparcar
5 Se prohibe fumar
6 Peligro

12 Unos letreros muy viejos

Completa el letrero.

a

★ a rebajas

b
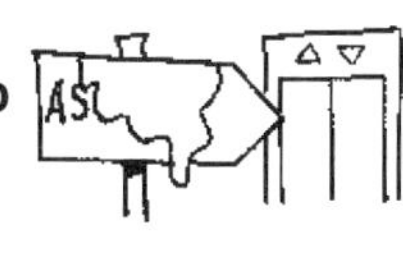

c

d

e

f

g

h
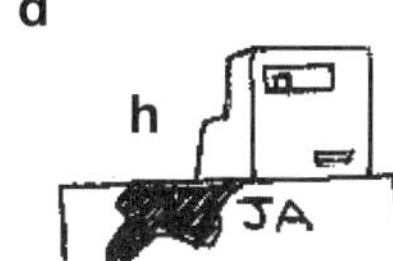

i

13 Escribe el letrero.

★ 1 CERRADO

Vocabulario

en los grandes almacenes	*in the department store*
rebajas	*sale*
ascensor	*lift*
caja	*cash desk*
abierto	*open*
cerrado	*closed*
aseos	*toilets*
¡Atención!	*look out!*
peligro	*danger*
acceso prohibido	*no entry*
ceda el paso	*give way*
¡ojo!	*careful*
en el garaje	*at the garage*
autoservicio	*self-serve*
se prohibe fumar	*no smoking*
se prohibe aparcar	*no parking*
entrada	*entrance*
salida	*exit*

16 La ropa y los colores

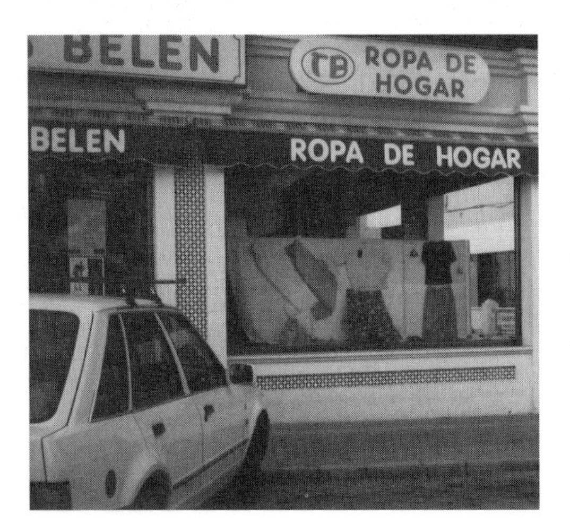

Spanish people tend to be very fashion conscious, and enjoy showing off their clothes in public. Sunday in particular is the day when families get dressed up and go out for their *paseo* or walk, each wanting to outshine the other. You may want to visit a clothes shop to compare fashions, or simply to buy something to wear. This unit will teach you how to buy some basic items and also to say which colour you would like.

1 1-9 ¿Qué busca Vd?

La Sección de Ropa

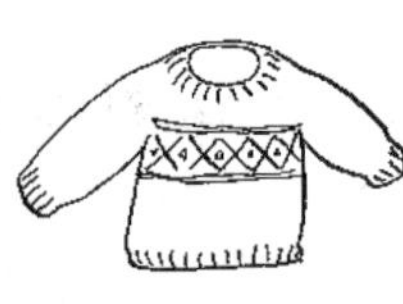

a un jersey

b una camiseta

c una falda

d una chaqueta

e un vestido

f unos pantalones

★ 1 c

2 1-7 ¿De qué color?

a amarillo

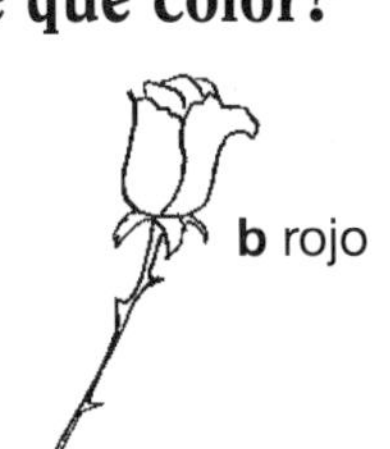

b rojo

c blanco

d negro

e marrón

f azul

g verde

★ 1 b

3 1-5 ¿De qué color? Lo siento, no hay.

Mira 2 .
Dibuja ✔ o ✘.
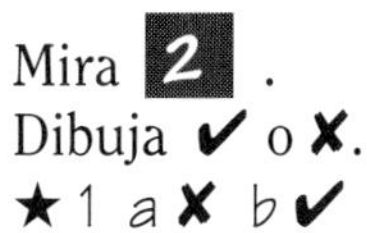
★ 1 a ✘ b ✔

4 1-7 ¿Qué busca Vd? ¿Y de qué color?

¿Quién es?

Teresa

Miguel

Pili

Loreto

Luis

Paco

Samia

★ 1 Pili

5 ¿De qué color?

a amarillo

b rojo

c blanco

d negro

e marrón

f azul

g verde

A ¿De qué color?

B Amarillo. ¿De qué color?

6 ¿De qué color? Lo siento, en ... no hay.

	✘	✔
1		
2		
3		
4		
5		
6		
7		

★ 1 A ¿De qué color?
B En <u>marrón</u>.
A Lo siento, en <u>marrón</u> no hay.
B Pues, en <u>verde</u>.

7 ¿Qué busca Vd?

★
A ¿Qué busca Vd?
B (Teresa) Busco una falda.

8 ¿Qué busca Vd? ¿Y de qué color?

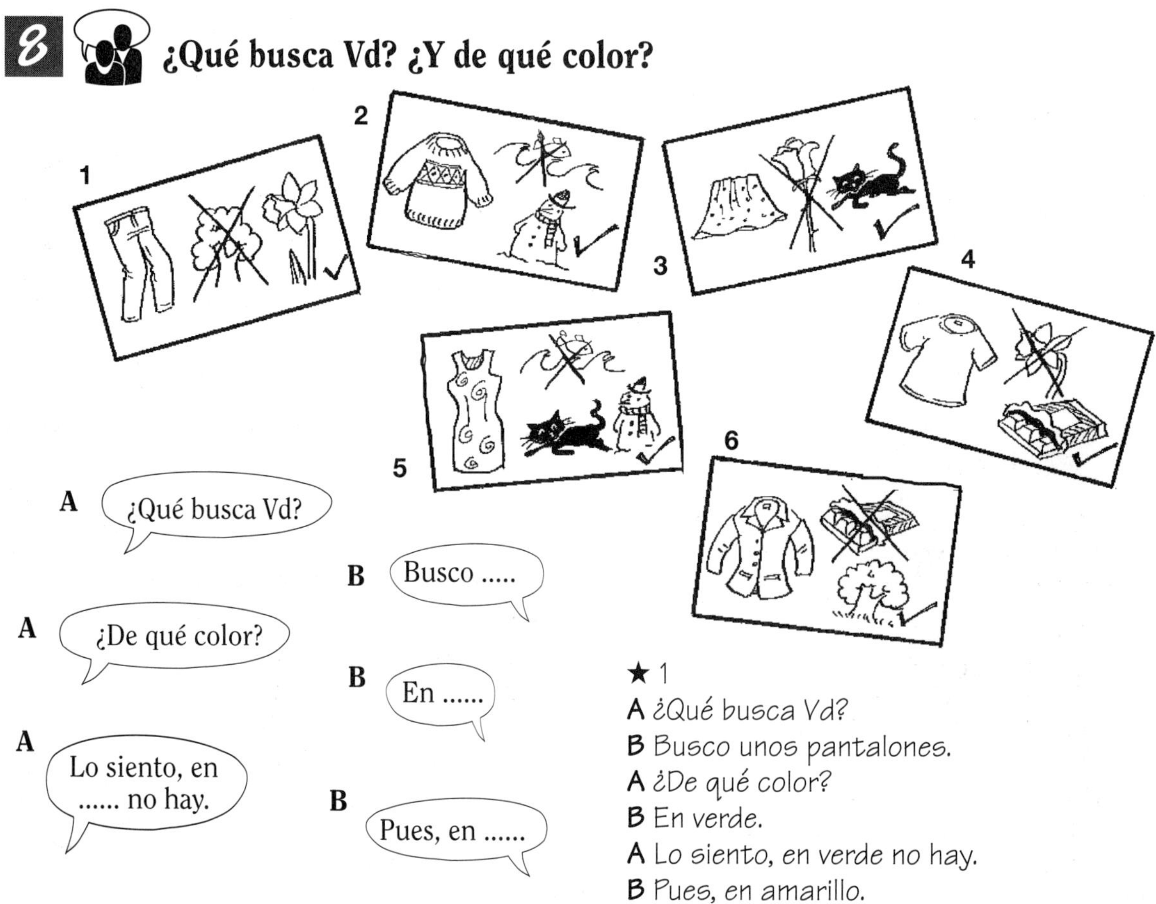

★ 1
A ¿Qué busca Vd?
B Busco unos pantalones.
A ¿De qué color?
B En verde.
A Lo siento, en verde no hay.
B Pues, en amarillo.

9 ¿Cuánto son?

Escribe el precio.

1 un vestido
2 una camiseta
3 un jersey
4 unos pantalones
5 una falda
6 una chaqueta

★ 1: 3.000 pesetas

10 ¿De qué color?

Empareja.
★ 1 g

11 ¿De qué color?

Mira a–g en 10. Escribe el color.
★ a verde

12 ¿Qué es?

Escribe las 6 frases.
★ 1 una falda negra

Vocabulario

¿qué busca Vd?	*what are you looking for?*	amarillo	*yellow*
busco ...	*I'm looking for ...*	rojo	*red*
la ropa	*clothes*	blanco	*white*
un jersey	*a jumper*	negro	*black*
una camiseta	*a T-shirt*	marrón	*brown*
una falda	*a skirt*	azul	*blue*
un vestido	*a dress*	verde	*green*
una chaqueta	*a jacket*	lo siento	*I'm sorry*
unos pantalones	*a pair of trousers*	en marrón, no hay	*there aren't any in brown*
¿de qué color?	*what colour?*	pues, en amarillo	*in yellow, then*
los colores	*the colours*		

17 ¿Qué le pasa?

Let's hope you never need to know the language in this unit, but who knows? You may just get a headache and need some aspirins, or it could be worse – sunstroke or an infection. So be prepared, just in case, to say what is wrong, and to ask for some remedies.

1 1-7 ¿Qué le pasa?

a Me duele el estómago.

b Me duele la cabeza.

c Me duelen las muelas.

d Me duele la garganta.

e Me duelen los oídos.

★ 1 b

2 1-8 Y a Vd, ¿qué le pasa?

f Tengo fiebre.

g Tengo un resfriado.

h Tengo una quemadura.

i Tengo una insolación.

j Tengo una picadura.

★ 1 f

1-5 ¿Tiene algo para ...?

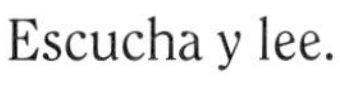

Escucha y lee.

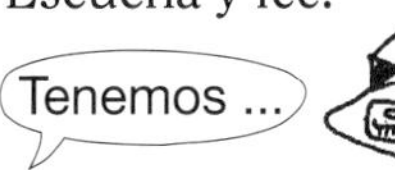

1 pastillas **2** una crema **3** tiritas **4** jarabe **5** aspirinas

1-7 ¿Qué le pasa? ¿Tiene algo para ...?

Mira los dibujos a-j. ¿Qué le pasa?
Mira los dibujos 1-5. ¿Tiene algo para ... ?
★ 1 f, 5

¿Qué le pasa?

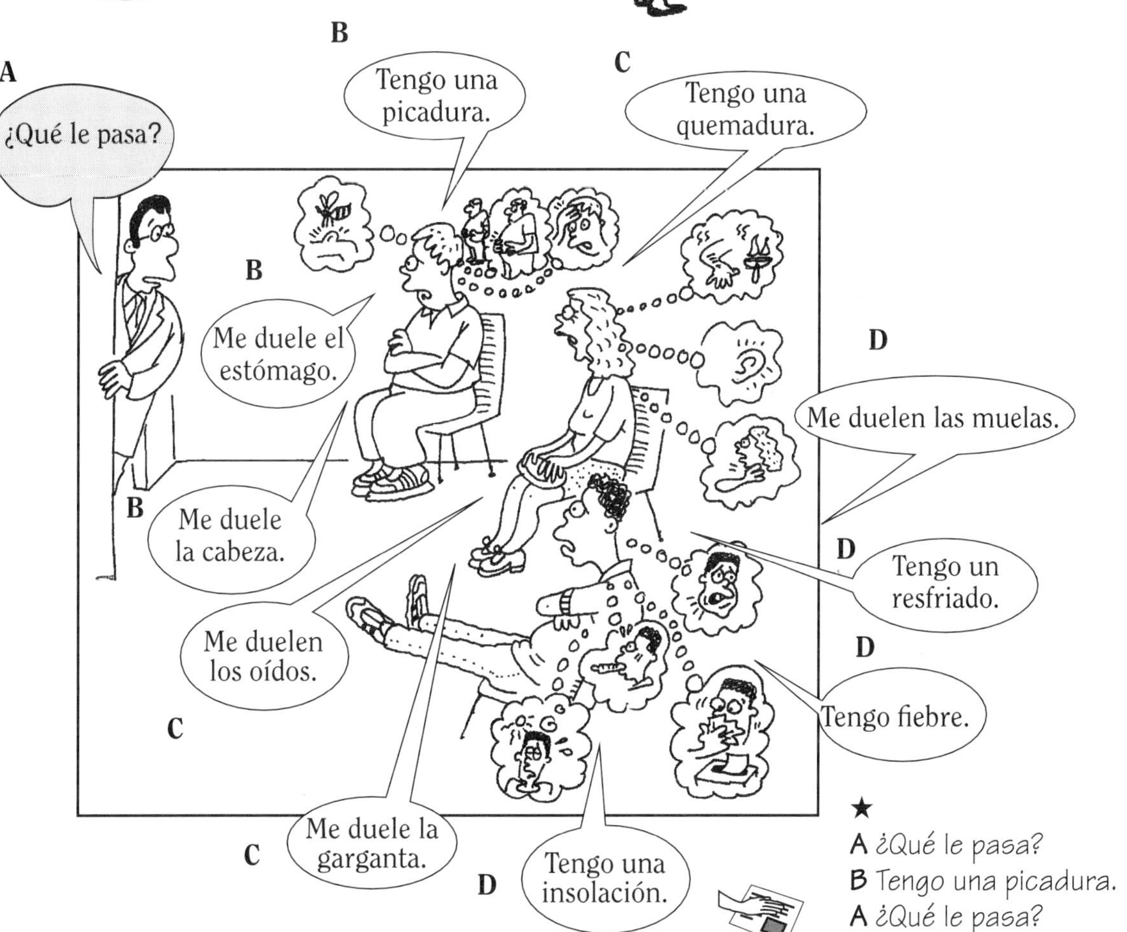

★
A ¿Qué le pasa?
B Tengo una picadura.
A ¿Qué le pasa?
C Tengo ......

6 ¿Tiene algo?

★ A ¿Tiene algo?
B Tenemos pastillas.

7 En la farmacia

Practica estos diálogos.

★ 1
A ¿Qué le pasa?
B Tengo una picadura. ¿Tiene algo?
A Sí, tenemos una crema.
B Muchas gracias. Adiós.
A Adiós.

	¿Qué le pasa?	¿Tiene algo ?
1		
2		
3		
4		
5		

8 ¿Qué le pasa?

Dibuja el cuerpo.

a Tengo una insolación: me duele la cabeza.
b Me duele el estómago y tengo fiebre.
c Me duelen los oídos y creo que he cogido un resfriado.
d Me duele mucho la garganta y tengo una temperatura muy alta. Creo que me ha picado una avispa. Me siento muy enfermo.
e Me duelen las muelas desde hace dos días y no aguanto el dolor. Y, esta mañana en la playa cogí una insolación.

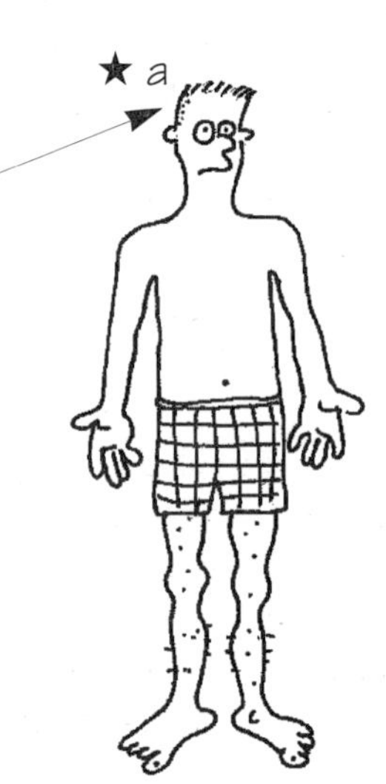

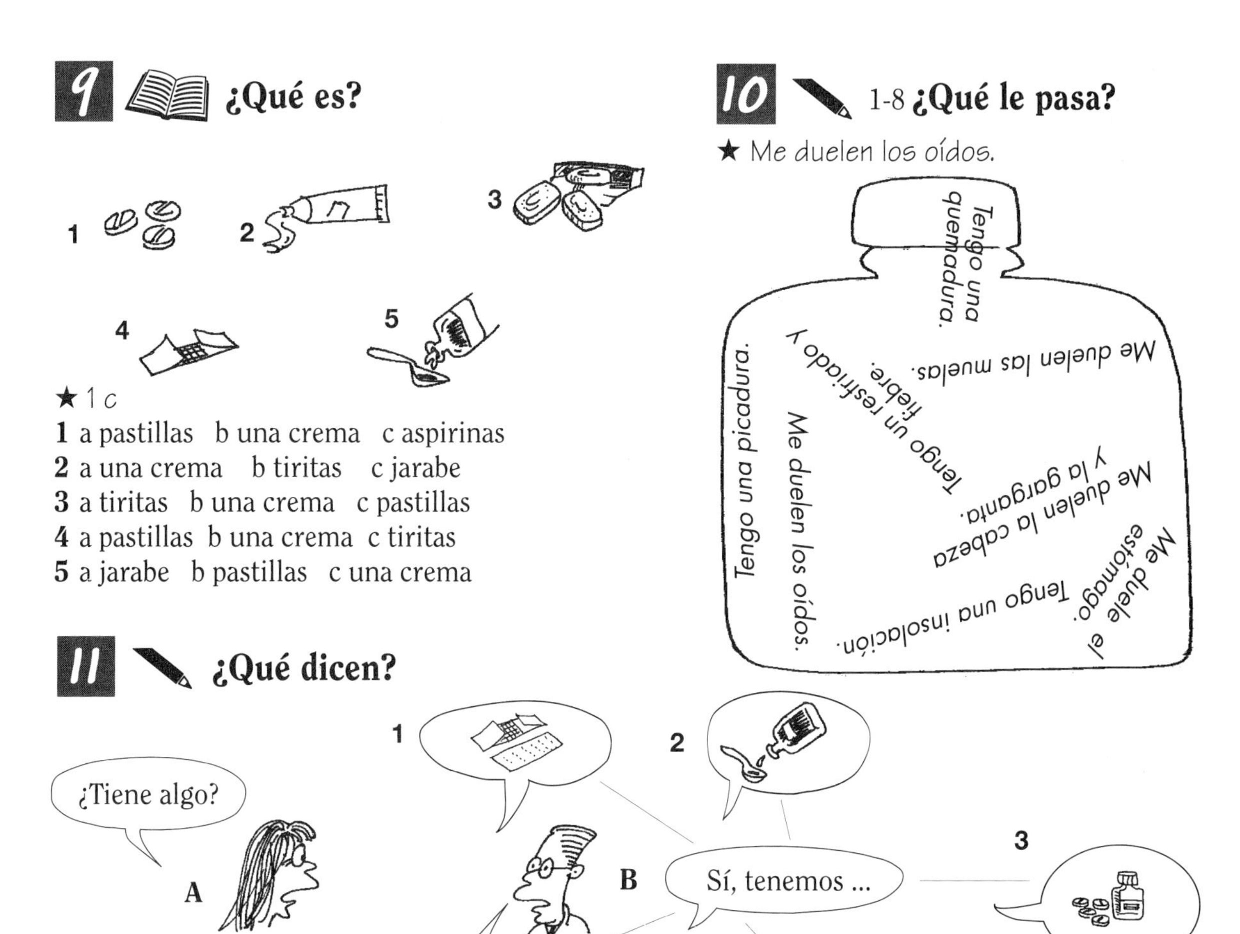

9 ¿Qué es?

★ 1 c

1 a pastillas b una crema c aspirinas
2 a una crema b tiritas c jarabe
3 a tiritas b una crema c pastillas
4 a pastillas b una crema c tiritas
5 a jarabe b pastillas c una crema

10 1-8 ¿Qué le pasa?

★ Me duelen los oídos.

11 ¿Qué dicen?

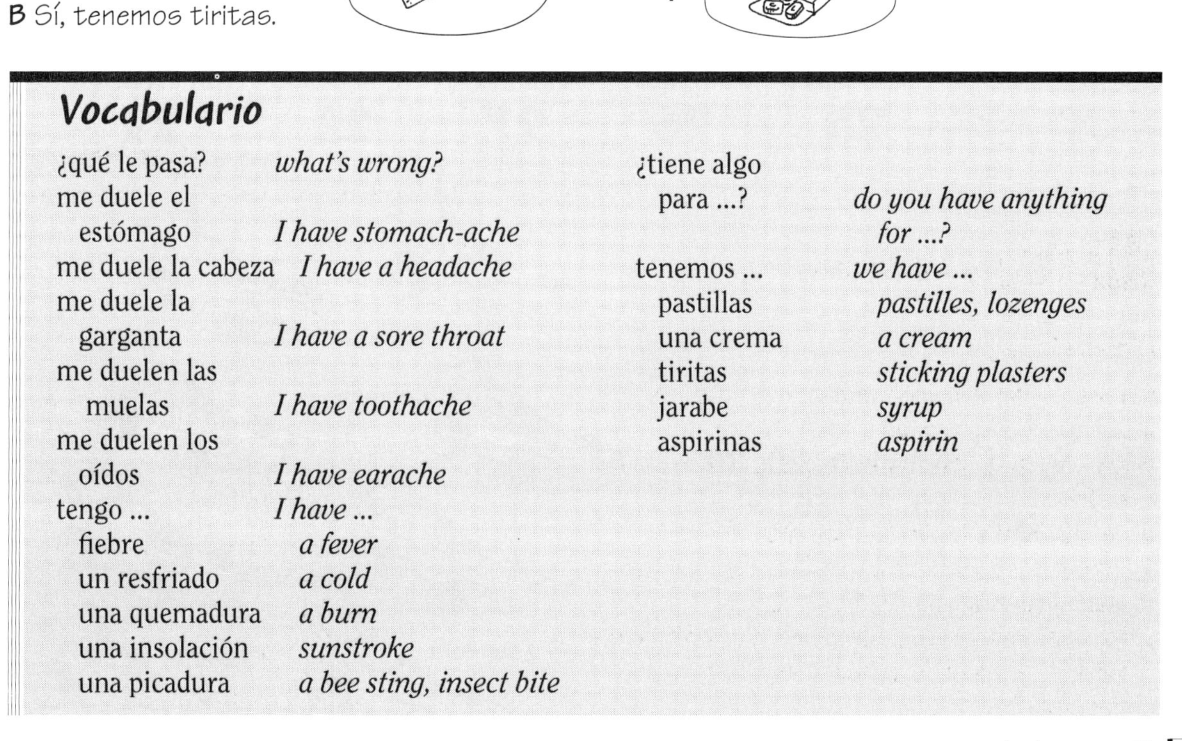

★ 1
A ¿Tiene algo?
B Sí, tenemos tiritas.

Vocabulario

¿qué le pasa?	*what's wrong?*	¿tiene algo para ...?	*do you have anything for ...?*
me duele el estómago	*I have stomach-ache*	tenemos ...	*we have ...*
me duele la cabeza	*I have a headache*	pastillas	*pastilles, lozenges*
me duele la garganta	*I have a sore throat*	una crema	*a cream*
me duelen las muelas	*I have toothache*	tiritas	*sticking plasters*
me duelen los oídos	*I have earache*	jarabe	*syrup*
tengo ...	*I have ...*	aspirinas	*aspirin*
fiebre	*a fever*		
un resfriado	*a cold*		
una quemadura	*a burn*		
una insolación	*sunstroke*		
una picadura	*a bee sting, insect bite*		

18 Números 21-99

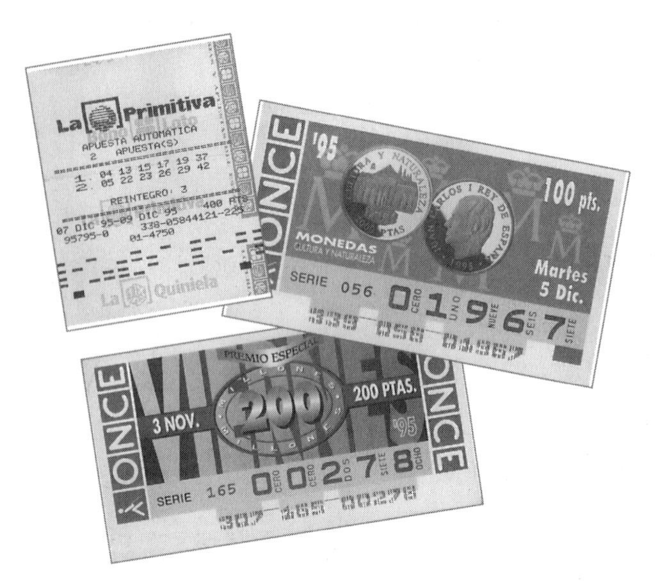

One of the main problems with Spanish numbers is that they may get very big! With an ice cream costing hundreds of pesetas, and the weekly shopping bill running into thousands of pesetas, it gets rather complicated. Always check price labels, receipts and till displays carefully. Don't pay until you are sure you have got the prices right – if you work out the exchange rate wrongly, you may wish you had not bought some of the items.

You should work through Unit 2 before doing this unit.

1   Números 20-29

Escucha y lee.

! Use the PAUSE button if you can. Try to pause and repeat.

veinte **20** · veinti**uno** **21** · veinti**dós** **22** · veinti**trés** **23** · veinti**cuatro** **24**

! Notice how each word is in two parts.

veinti**cinco** **25** · veinti**séis** **26** · veinti**siete** **27** · veinti**ocho** **28** · veinti**nueve** **29**

2  1-12 ¿Qué número es?

Escribe los números. ★ 23, 29 ...

3   1-8 Números 20, 30, 40, 50, 60, 70, 80, 90

Escribe los números.

★ 40, ...

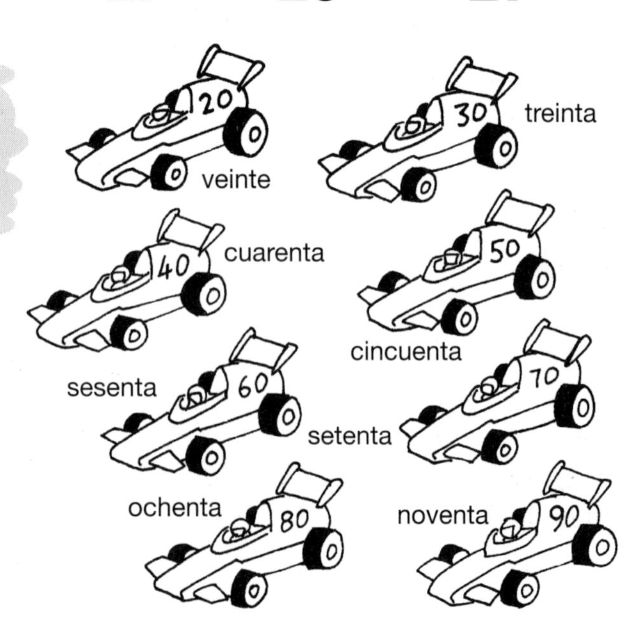

Loto

Copia los tres billetes. ¿Qué billete gana?

Ignacio Teresa Mari-Tere

Once you get to 30, the numbers follow a pattern:

treinta	30
treinta y uno	31
treinta y dos	32
treinta y tres	33
treinta y cuatro	34
treinta y cinco	35
treinta y seis	36
treinta y siete	37
treinta y ocho	38
treinta y nueve	39
cuarenta	40

For 41, just replace treinta by cuarenta: cuarenta y uno. It's easier than it looks!

5 Números 30-99

- Copia los números de treinta a treinta y nueve.

★ treinta, treinta y uno ...... (30, 31 ...)

- Escribe los números de cuarenta a cuarenta y nueve.

★ cuarenta, cuarenta y uno ..... (40, 41 ...)

- Escribe los números de cincuenta a cincuenta y nueve.

★ cincuenta, cincuenta y uno ..... (50, 51 ...)

- Escribe los números de sesenta a noventa y nueve.

★ sesenta, sesenta y uno ..... noventa y nueve (60, 61 ... 99)

1-9 En el hotel

Los números 20-99. ¿Qué número es?

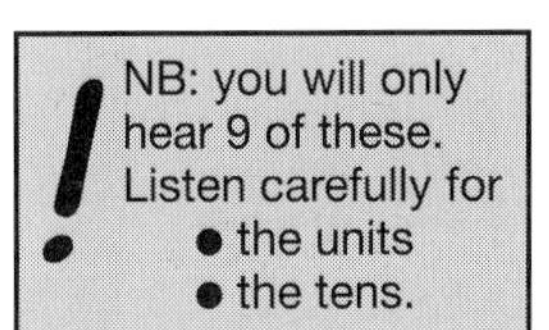

★ 24, ...

La lotería

¿A quién le ha tocado la lotería?

LOTERIA NACIONAL 53 62 89
24 de diciembre 1997

Carmen

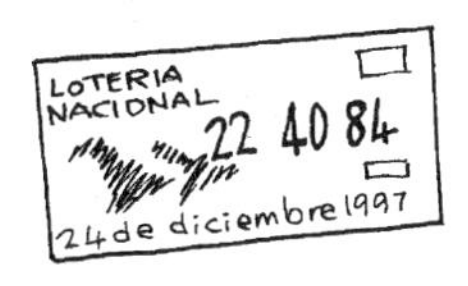

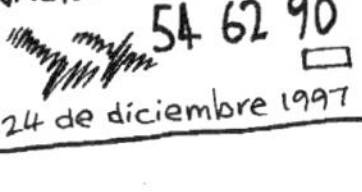

LOTERIA NACIONAL 22 40 67
24 de diciembre 1997

Juan Rafa Susi

8 Números 20-99

- Start with 20-29.
  Look at Task 1. Take your time. Do them again and again. Can you do them easily?

- Now do all the tens.

veinte	20
treinta	30
cuarenta	40
cincuenta	50
sesenta	60
setenta	70
ochenta	80
noventa	90

Can you say them?

- Now try 30-99.
Look at the lists you wrote in Task 5. Remember they follow a pattern.

★ treinta, treinta y uno, treinta y dos......

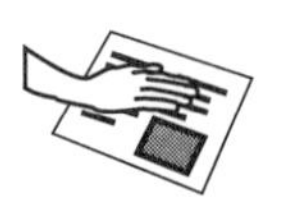

9 Unos números de teléfono

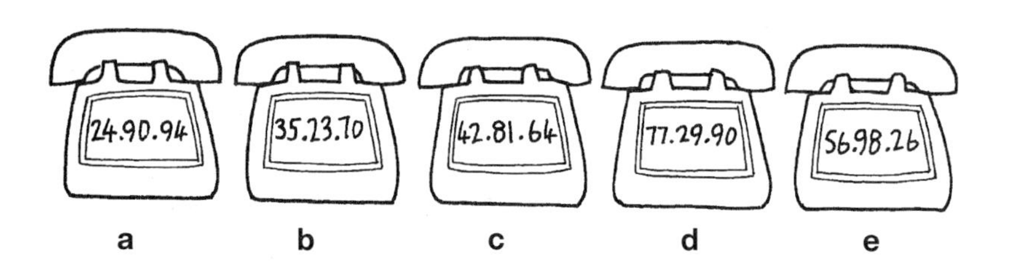

¿Cuál es el número de teléfono?

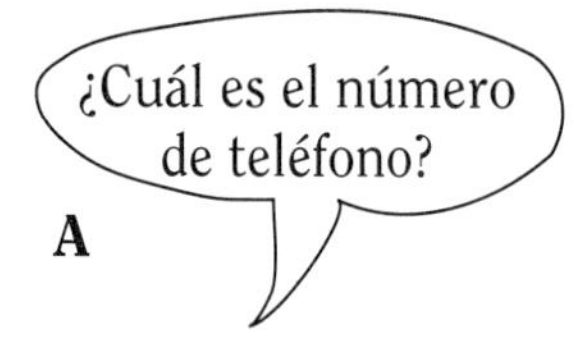

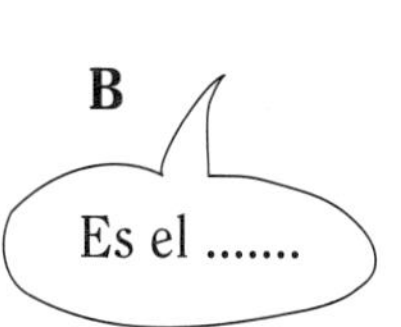

★ a
A ¿Cuál es el número de teléfono?
B Es el veinticuatro, noventa ....

10 ¿Cuánto es?

Escribe el precio.

★ 1: 59 pesetas

1 El sello cuesta cincuenta y nueve pesetas.

2 El chicle cuesta treinta y ocho pesetas.

3 La postal vale setenta y seis pesetas.

4 El caramelo vale cuarenta y dos pesetas.

5 El café cuesta ochenta pesetas.

6 El agua vale noventa y cinco pesetas.

11 ¿Cuántos años tienes?

Empareja.

★ 1 *e*

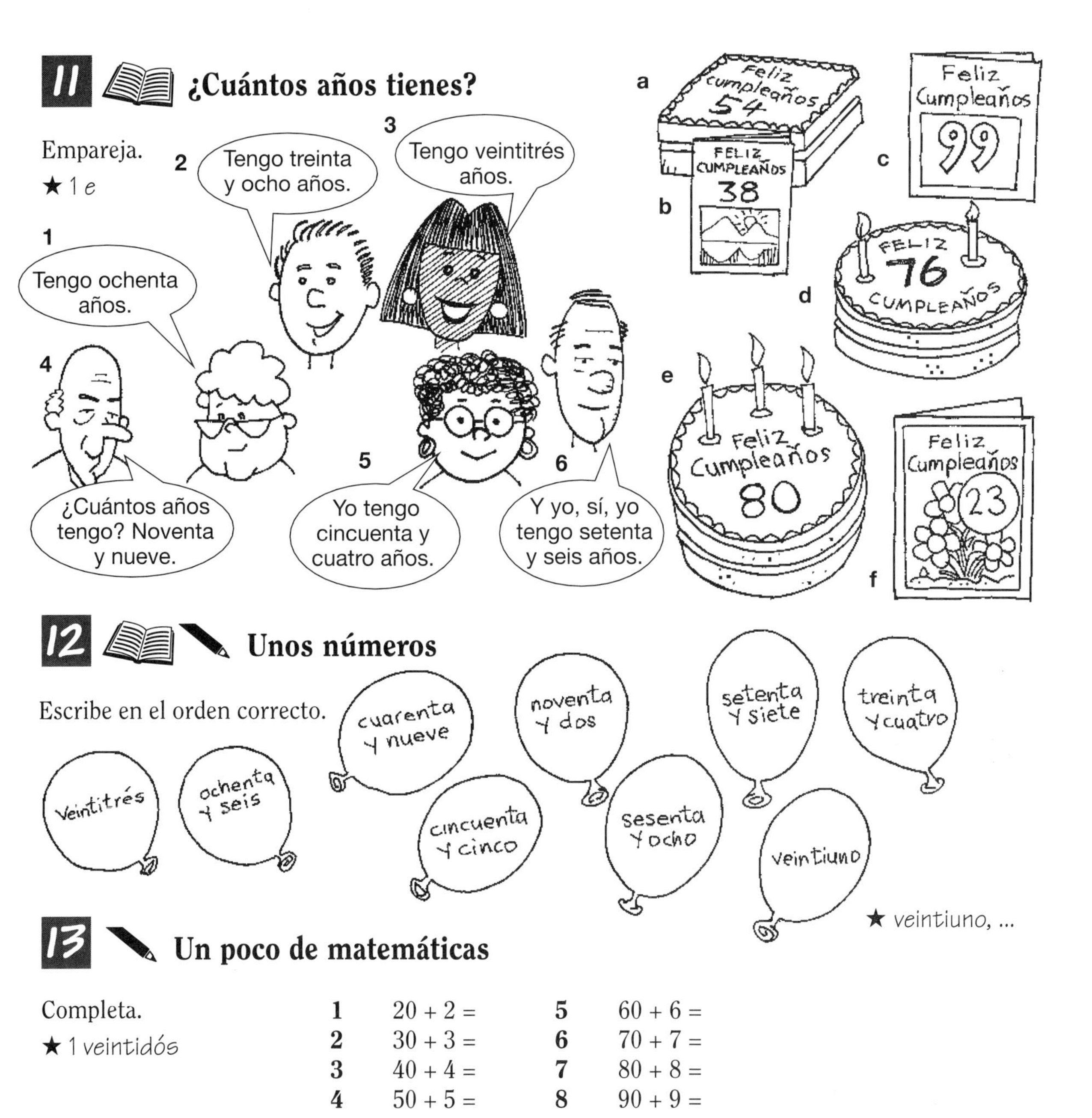

12 Unos números

Escribe en el orden correcto.

★ veintiuno, ...

13 Un poco de matemáticas

Completa.

★ 1 veintidós

1	20 + 2 =	**5**	60 + 6 =
2	30 + 3 =	**6**	70 + 7 =
3	40 + 4 =	**7**	80 + 8 =
4	50 + 5 =	**8**	90 + 9 =

Vocabulario

veinte	*20*	veintinueve	*29*	treinta y ocho	*38*
veintiuno	*21*	treinta	*30*	treinta y nueve	*39*
veintidós	*22*	treinta y uno	*31*	cuarenta	*40*
veintitrés	*23*	treinta y dos	*32*	cincuenta	*50*
veinticuatro	*24*	treinta y tres	*33*	sesenta	*60*
veinticinco	*25*	treinta y cuatro	*34*	setenta	*70*
veintiséis	*26*	treinta y cinco	*35*	ochenta	*80*
veintisiete	*27*	treinta y seis	*36*	noventa	*90*
veintiocho	*28*	treinta y siete	*37*		

19 En la oficina de turismo

A visit to the tourist office will make your trip more interesting. You will be able to pick up leaflets telling you about all the local *fiestas* and places of interest, maps and town plans to help you find your way around. You can also get help with places to stay and where to eat. If you're having trouble finding the tourist office, you might find it in *el Ayuntamiento* (the town hall).

1 1-6 **¿Tiene un plano de ...?**

Escribe la ciudad.

Madrid Málaga Granada
Sevilla Salamanca Toledo

★ 1 Sevilla

2 1-8 **¿Tiene un folleto sobre ...?**

a el museo

b la catedral

c el barrio viejo

d el castillo

x Madrid

y Granada

★ 1 d

1-9 ¿Qué hay de interés en Madrid?

Escribe e-i.

Se puede visitar ...

e el mercado

h la plaza de toros

f el parque de atracciones

g el ayuntamiento

i la plaza mayor

★ 1 e

1-5 ¿Qué hay de interés en Toledo?

Copia y completa el cuadro. Mira los dibujos a-i.

	Se puede visitar ...
Toledo	★ c g
Sevilla	
Salamanca	
Madrid	
Bilbao	

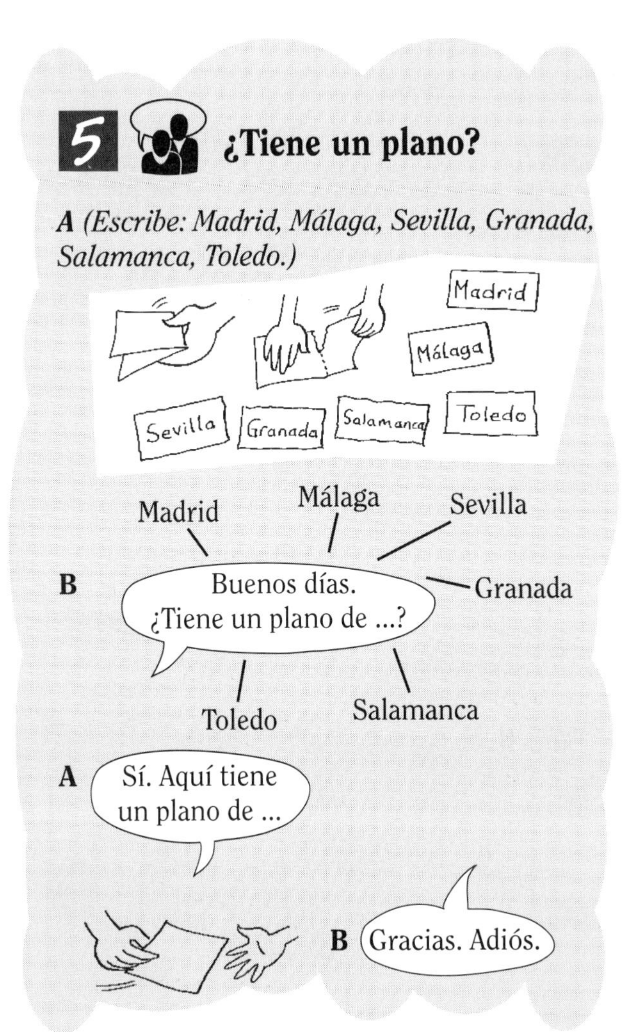

5 ¿Tiene un plano?

A *(Escribe: Madrid, Málaga, Sevilla, Granada, Salamanca, Toledo.)*

Madrid, Málaga, Sevilla, Granada, Salamanca, Toledo

B Buenos días. ¿Tiene un plano de ...?

A Sí. Aquí tiene un plano de ...

B Gracias. Adiós.

¿Qué es?

Mira los dibujos a-i en 2 y 3.

A *(Escribe una letra a-i. Esconde la letra.)*

el castillo

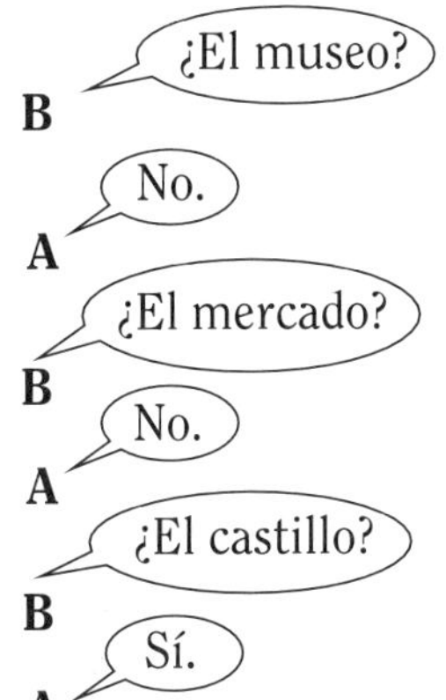

B ¿El museo?

A No.

B ¿El mercado?

A No.

B ¿El castillo?

A Sí.

7 ¿Tiene un folleto?

A

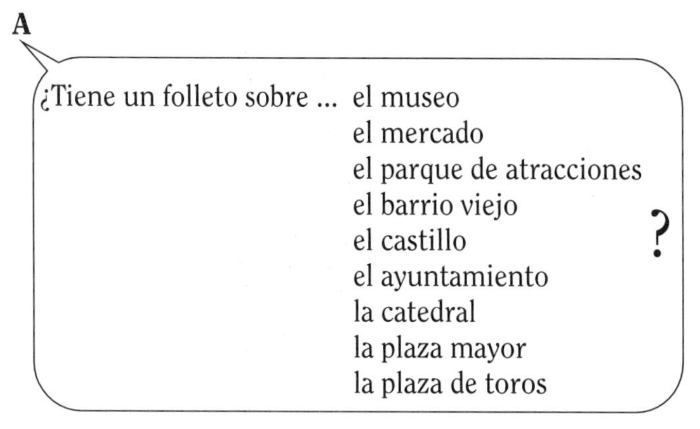

B

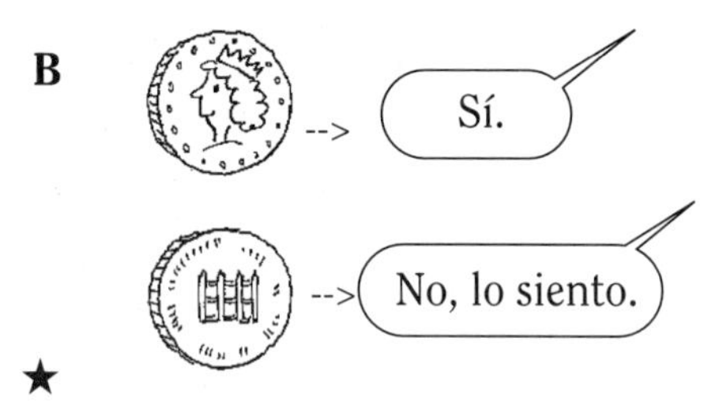

★

A ¿Tiene un folleto sobre el mercado?

B No, lo siento.

8 ¿Qué hay de interés?

★ 1

A ¿Qué hay de interés en Málaga?

B Se puede visitar el castillo.

9 Un plano de Cartagena

¿Qué es? Mira el plano.

★ 1 b

1 el museo
2 el mercado
3 el parque de atracciones
4 el barrio viejo
5 el castillo
6 el ayuntamiento
7 la catedral
8 la plaza mayor
9 la plaza de toros

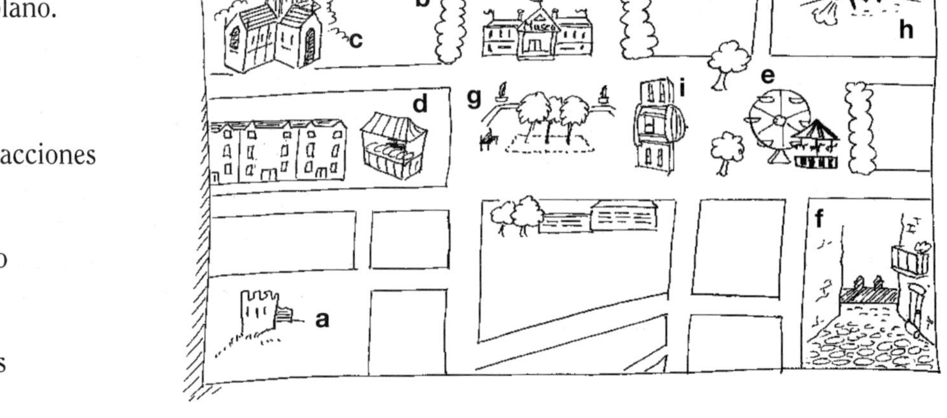

10 ¿Tiene un folleto o un plano?

Empareja.

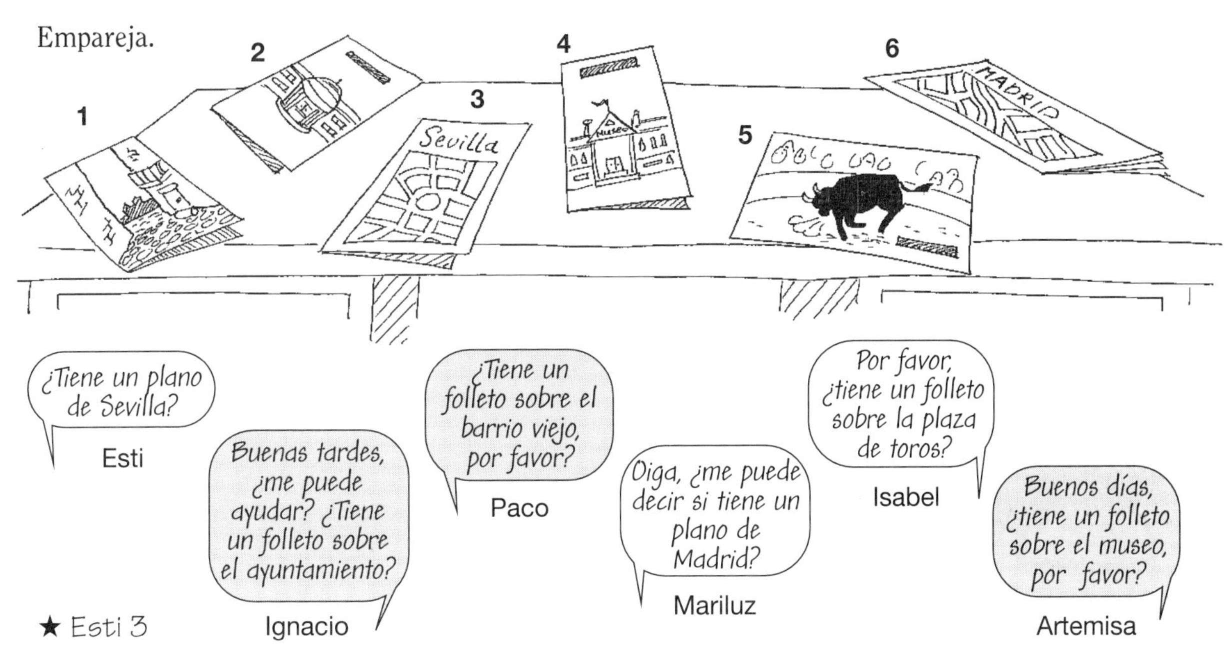

★ Esti 3

11 En la oficina de turismo

Escribe las frases en el orden correcto.

★ 1 ¿Tiene un folleto?

1. ¿un Tiene folleto?
2. ¿plano de Tiene Málaga un?
3. ¿de hay en Qué interés Granada?
4. ¿catedral puede Se la visitar?
5. ¿visitar ayuntamiento Se el puede?
6. ¿folleto sobre la de toros plaza Tiene un?
7. ¿en Salamanca de interés hay Qué?

12 ¿Y tú? ¿Qué hay de interés en tu ciudad? ¿En Bristol? ¿En Londres? ¿En Manchester?

★

Vocabulario

¿tiene ...?	*do you have?*	el mercado	*the market*
aquí tiene ...	*here is ..., here you are*	el parque de atracciones	*the funfair*
un plano de ...	*a plan of ...*	el barrio viejo	*the old town*
un folleto sobre ...	*a leaflet about ...*	la plaza Mayor	*the main square*
¿qué hay de interés en ...?	*what is there to see in ...*	la plaza de toros	*the bull ring*
se puede visitar ...	*you can visit ...*	el castillo	*the castle*
el museo	*the museum*	el ayuntamiento	*the town hall*
la catedral	*the cathedral*		

20 En la oficina de objetos perdidos

If you are unlucky enough to lose something while you are in Spain you will need to report it missing so that you can claim on the insurance. But try the lost property office first – you might just be lucky enough to find it there.

1  1-8 **He perdido ...**

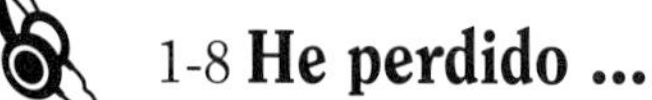

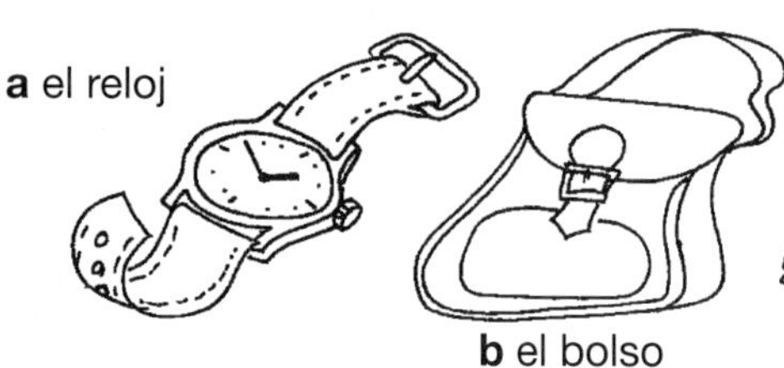

a el reloj
b el bolso
c el pasaporte
d el monedero
e el billetero

★ 1 a

2  1-7 **¿Qué?**

a

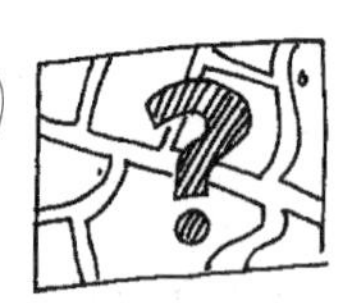

b

c

d

★ 1 b

1-8 ¿Dónde lo dejó Vd?

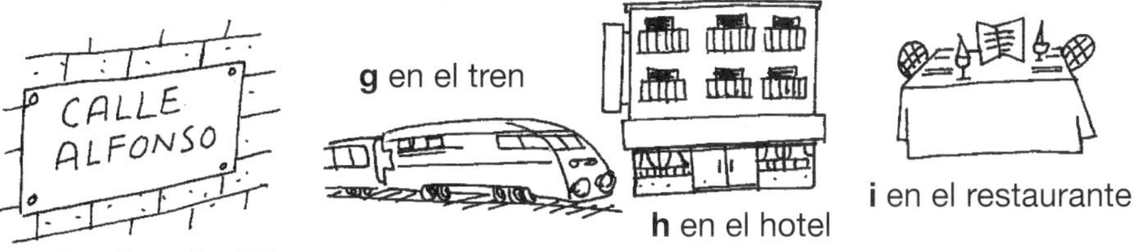

f en la calle Alfonso

g en el tren

h en el hotel

i en el restaurante

j en mi habitación

★ 1 g

1-5 En la oficina de objetos perdidos

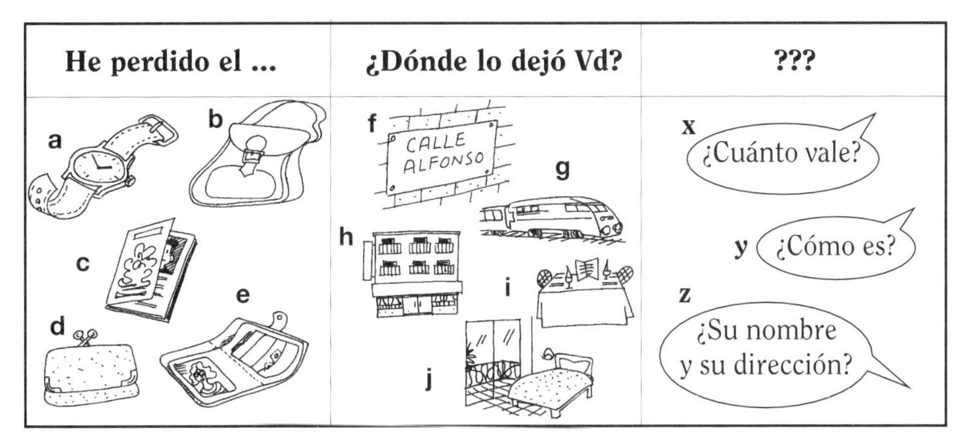

He perdido el ...	¿Dónde lo dejó Vd?	???
a b c d e	f CALLE ALFONSO g h i j	x ¿Cuánto vale? y ¿Cómo es? z ¿Su nombre y su dirección?

★ 1 a i x

En la oficina de objetos perdidos

¿Dónde lo dejó Vd?

en el restaurante

en el hotel

A 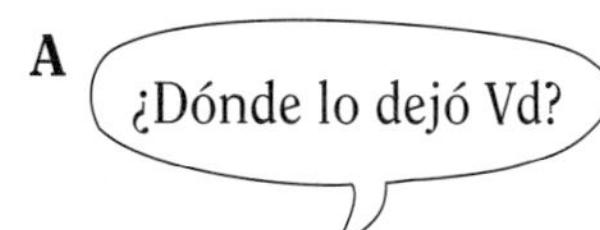

B 

en mi habitación

en el tren

en la calle Alfonso

★
A ¿Dónde lo dejó Vd?
B Lo dejé en el tren.

7 En la comisaría

★ 1
A Buenos días.
B Buenos días. He perdido mi bolso.
A ¿Dónde lo dejó Vd?
B Lo dejé en el tren.
A ¿Cómo es? ¿Cuánto vale? ¿Su nombre y su dirección?

8 Objetos perdidos

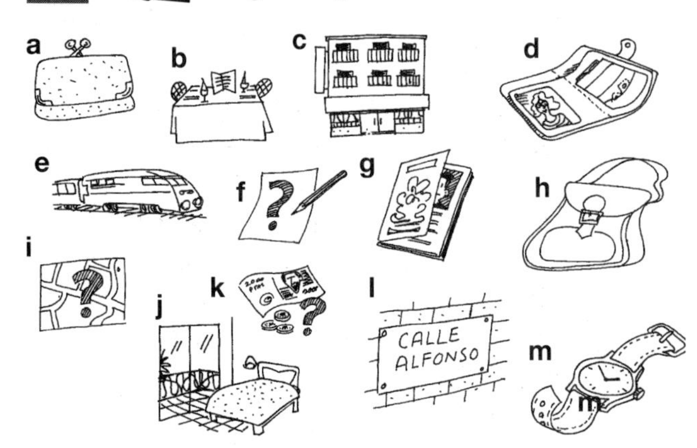

Empareja.

★ 1 d, g

1 He perdido mi billetero y mi pasaporte.
2 Lo dejé en la calle.
3 ¿Cuánto vale?
4 Lo dejé en el restaurante.
5 ¿Dónde lo dejó Vd?
6 Dejé mi monedero en mi habitación.
7 ¿Cómo es?
8 He perdido mi billetero en el tren o en el hotel.
9 ¿Mi reloj? Lo dejé en el tren ... o en mi bolso.

9 He perdido ...

Empareja estos anuncios con los dibujos.

1 **PÉRDIDAS**
El 9 de febrero, en un taxi, en Salamanca, un bolso y un pasaporte. Llame al tel. 23.44.52

2 **PÉRDIDAS**
El 4 de octubre, a lo mejor en el restaurante Triana, un monedero azul. Llame al tel. 19.06.69

3 **PÉRDIDAS**
El 16 de junio, en la estación de trenes de Murcia, un reloj de oro que vale 20.000 ptas. Llame al tel. 23.02.78

4 **PÉRDIDAS**
El lunes pasado (el 5 de mayo) en una tienda en la calle Alfonso XIII, un billetero. Llame al tel. 71.42.11

a

b

CALLE ALFONSO

c

d

f

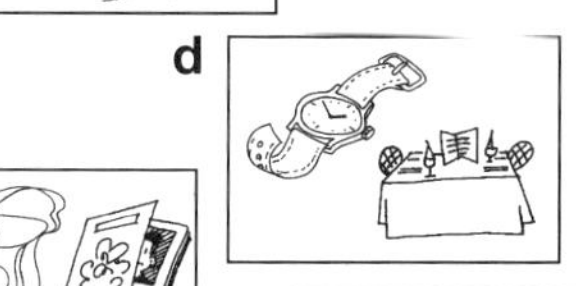

e

CALLE ALFONSO

g

10 ¿Qué?

Escribe y completa la carta.

Sevilla, el 25 de julio

Muy señor mío,

He perdido mi [bolso]. Lo dejé en el [hotel] Orosol el 22 de julio. Lo dejé en mi [habitación], número 342.

Es un [bolso] negro que vale 10.000 pesetas.

Mi [José Suárez] y mi [c/San Fernando35] son:

Artemisa Conde del Teso
Calle Campo Amor, 24, 6ºA
Salamanca,
España.

Le saluda atentamente
Artemisa Conde del Teso

11 ¿Y tú? Escribe tus anuncios.

PÉRDIDAS...

Vocabulario

la oficina de objetos perdidos	*the lost property office*	lo dejé ...	*I left it ...*
la comisaría	*the police station*	en la calle Alfonso	*in Alfonso Street*
pérdidas	*missing, lost property*	en el tren	*in the train*
he perdido ...	*I've lost ...*	en el hotel	*in the hotel*
el reloj	*my watch*	en el restaurante	*in the restaurant*
el bolso	*my bag*	en mi habitación	*in my room*
el pasaporte	*my passport*	¿cómo es?	*what's it like?*
el monedero	*my purse*	¿cuánto vale?	*what's it worth?*
el billetero	*my wallet*	¿su nombre y su dirección?	*your name and address?*
¿dónde lo dejó Vd?	*where did you leave it?*		

21 En la frutería

Southern Spain's hot climate is ideal for growing all sorts of exotic fruits, and you might want to try something new. The food markets are very colourful places and well worth a visit, especially if you want to buy some fruit. Do check the quality and the price carefully before you buy. Remember, if you are really stuck, you can just point to what you want and say please!

1-7 ¿Cuántos kilos?

medio kilo

un kilo

dos kilos

tres kilos

★ 1: 1k

1-7 ¿Tiene ... por favor?

★ 1 f

1-9 Un kilo de ... por favor.

★ 1 i

1-6 ¿Tiene ...? ¿Sí o no?

★ 1 *no*

1-6 ¿Qué? ¿Cuánto? ¿Sí o no?

Copia el cuadro.

	¿Qué?	¿Cuánto?	¿Sí o no?
1	★ i	½k	sí
2			
3			
4			
5			
6			

¿Cuántos kilos?

A

B

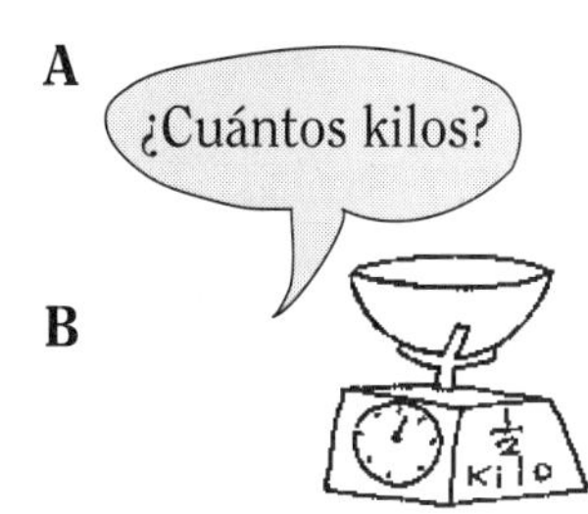

..., por favor.

★
A ¿Cuántos kilos? ☞
B Dos kilos, por favor.

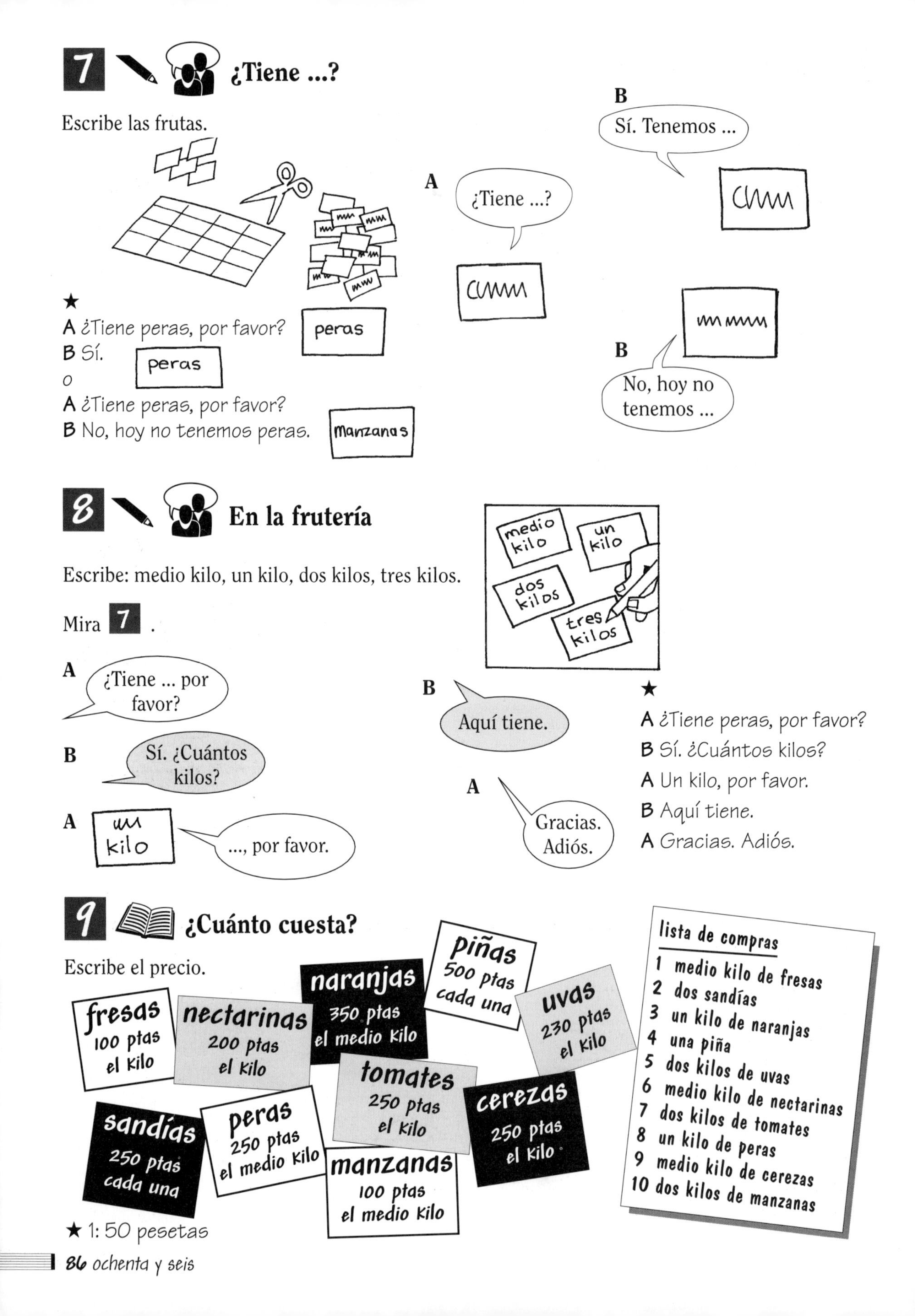

7 ¿Tiene ...?

Escribe las frutas.

★
A ¿Tiene peras, por favor?
B Sí.
o
A ¿Tiene peras, por favor?
B No, hoy no tenemos peras.

8 En la frutería

Escribe: medio kilo, un kilo, dos kilos, tres kilos.

Mira 7 .

★
A ¿Tiene peras, por favor?
B Sí. ¿Cuántos kilos?
A Un kilo, por favor.
B Aquí tiene.
A Gracias. Adiós.

9 ¿Cuánto cuesta?

Escribe el precio.

lista de compras

1 medio kilo de fresas
2 dos sandías
3 un kilo de naranjas
4 una piña
5 dos kilos de uvas
6 medio kilo de nectarinas
7 dos kilos de tomates
8 un kilo de peras
9 medio kilo de cerezas
10 dos kilos de manzanas

★ 1: 50 pesetas

10 ¿Qué fruta es?

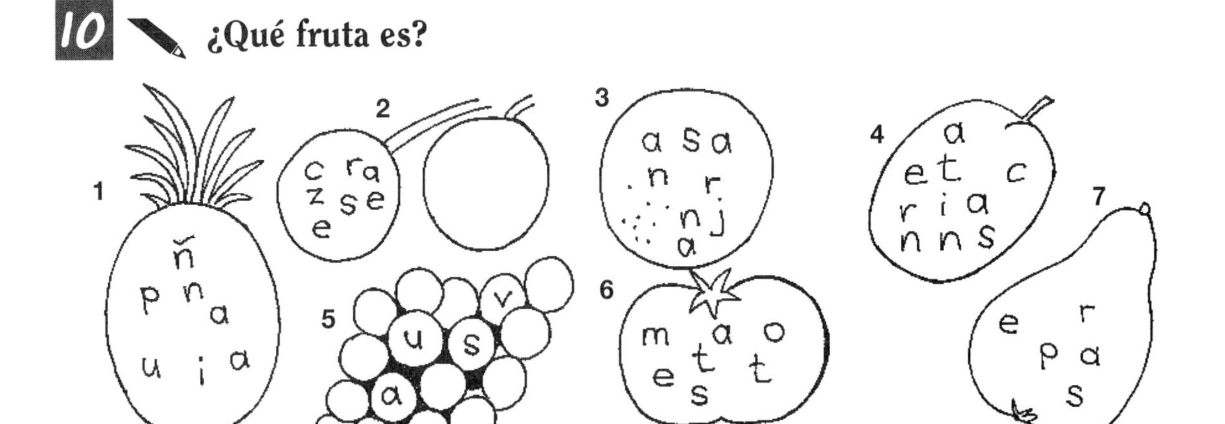

★ 1 una piña

11 La lista de compras

Escribe la lista.

★ lista de compras
1 un kilo de uvas

12 ¿Y tú? Escribe tu lista de compras.

Vocabulario

en la frutería	*in the fruit shop*	plátanos	*bananas*
un kilo de ...	*1 kilo of ...*	cerezas	*cherries*
medio kilo de ...	*half a kilo of ...*	fresas	*strawberries*
una, dos, tres	*one, two, three*	uvas	*grapes*
¿tiene ...?	*do you have ...?*	manzanas	*apples*
no tenemos ...	*we don't have any ...*	naranjas	*oranges*
hoy	*today*	una sandía	*a water melon*
peras	*pears*	nectarinas	*nectarines*
una piña	*a pineapple*	tomates	*tomatoes*
melocotones	*peaches*		

22 ¿Abierto o cerrado?

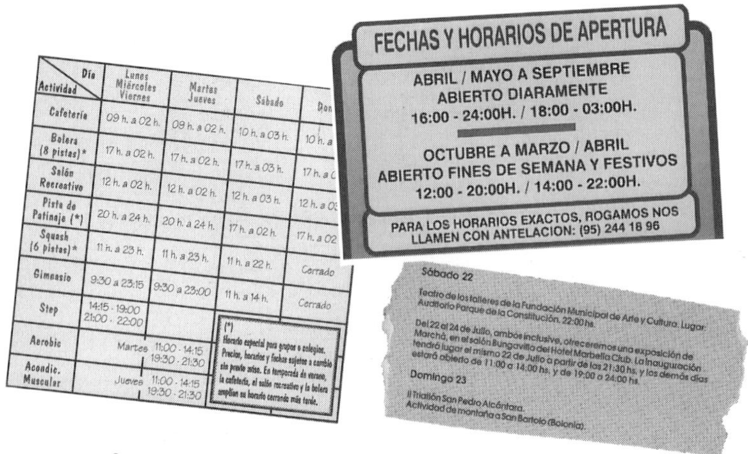

Día / Actividad	Lunes Miércoles Viernes	Martes Jueves	Sábado	Dom
Cafetería	09 h. a 02 h.	09 h. a 02 h.	10 h. a 03 h.	10 h. a
Bolera (8 pistas)*	17 h. a 02 h.	17 h. a 02 h.	17 h. a 03 h.	17 h. a
Salón Recreativo	12 h. a 02 h.	12 h. a 02 h.	12 h. a 03 h.	12 h. a
Pista de Patinaje (*)	20 h. a 24 h.	20 h. a 24 h.	17 h. a 02 h.	17 h. a 02
Squash (6 pistas)*	11 h. a 23 h.	11 h. a 23 h.	11 h. a 22 h.	Cerrado
Gimnasio	9:30 a 23:15	9:30 a 23:00	11 h. a 14 h.	Cerrado
Step	14:15 - 19:00 21:00 - 22:00			
Aerobic	Martes 11:00 - 14:15 19:30 - 21:30			
Acondic. Muscular	Jueves 11:00 - 14:15 19:30 - 21:30			

(*) Horario especial para grupos o colegios. Precios, horarios y fechas sujetos a cambio sin previo aviso. En temporada de verano, la cafetería, el salón recreativo y la bolera amplían su horario cerrando más tarde.

FECHAS Y HORARIOS DE APERTURA

ABRIL / MAYO A SEPTIEMBRE
ABIERTO DIARAMENTE
16:00 - 24:00H. / 18:00 - 03:00H.

OCTUBRE A MARZO / ABRIL
ABIERTO FINES DE SEMANA Y FESTIVOS
12:00 - 20:00H. / 14:00 - 22:00H.

PARA LOS HORARIOS EXACTOS, ROGAMOS NOS LLAMEN CON ANTELACION: (95) 244 18 96

Sábado 22

Teatro de los talleres de la Fundación Municipal de Arte y Cultura. Lugar: Auditorio Parque de la Constitución. 22:00 hs.

Del 22 al 24 de Julio, ambos inclusive, ofreceremos una exposición de Marchá, en el salón Bungavilla del Hotel Marbella Club. La inauguración tendrá lugar el mismo 22 de Julio a partir de las 21:30 hs. y los demás días estará abierto de 11:00 a 14:00 hs. y de 19:00 a 24:00 hs.

Domingo 23

II Triatlón San Pedro Alcántara.
Actividad de montaña a San Bartolo (Bolonia).

This unit will show you how to ask when a building is open or closed. It will help to remember that *los días festivos* are holidays, and *los días laborables* are working days – Monday to Saturday. Don't forget the *siesta*, which may mean shops have a very long lunch break – a chance for you to have a snooze too.

1 1-6 ¿Abierto o cerrado?

Copia el cuadro y completa.

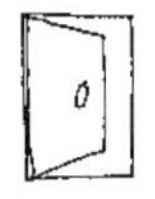

abierto   cerrado

	abierto	cerrado
1	★✔	
2		
3		
4		
5		
6		

2 1-8 ¿Cuándo está cerrado?

Escribe el día.

★ 1 d (los domingos)

los lunes (l)	los viernes (v)
los martes (ma)	los sábados (s)
los miércoles (m)	los domingos (d)
los jueves (j)	

3 1-6 Abierto todos los días <u>menos</u> los ...

¿Verdad o mentira? Escribe **V** o **M**.

★ 1 M (lunes)

1 cerrado los domingos

2 cerrado los miércoles

3 cerrado los sábados

4 cerrado los jueves

5 cerrado los lunes

6 cerrado los martes y los viernes

1-9 ¿Por la mañana? ¿Por la tarde? ¿Por la noche?

por la mañana 

por la tarde 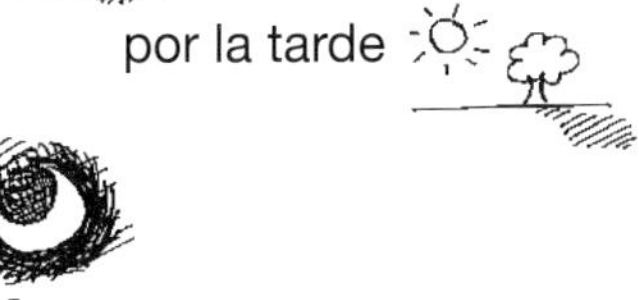 

por la noche 

Escribe **M, T** o **N.**

★ 1 M

5 1-5 ¿Abierto o cerrado? ¿Cuándo?

Toma notas:

- ¿abierto?
- ¿cerrado?
- ¿mañana, tarde, noche?
- ¿lunes, martes .....?

★ 1 cerrado, tarde, lunes

¿Está abierto o cerrado?

A 

B Sí, está abierto. 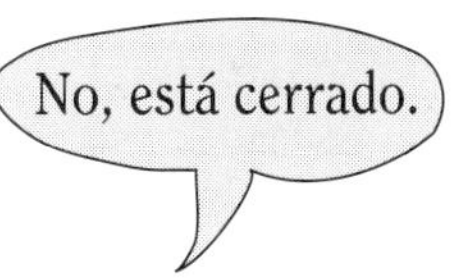

★ 1 A ¿Está abierto? B Sí, está abierto.

¿Cuándo está cerrado? ¿Cuándo está abierto?

A ¿Cuándo está cerrado?

B Está cerrado los ... y los ...

A ¿Cuándo está abierto?

B Está abierto los ... y los ...

	los lunes	los martes	los miércoles	los jueves	los viernes	los sábados	los domingos
1	✘	✘	✘	✘	✔	✔	✔
2	✔	✔	✘	✘	✔	✔	✘
3	✔	✘	✔	✘	✘	✔	✔
4	✘	✔	✔	✘	✘	✔	✘

★ 1 A ¿Cuándo está cerrado?
B Está cerrado los lunes, los martes, los miércoles y los jueves.

A ¿Cuándo está abierto?
B Está abierto los viernes, los sábados y los domingos.

8 ¿Todos los días?

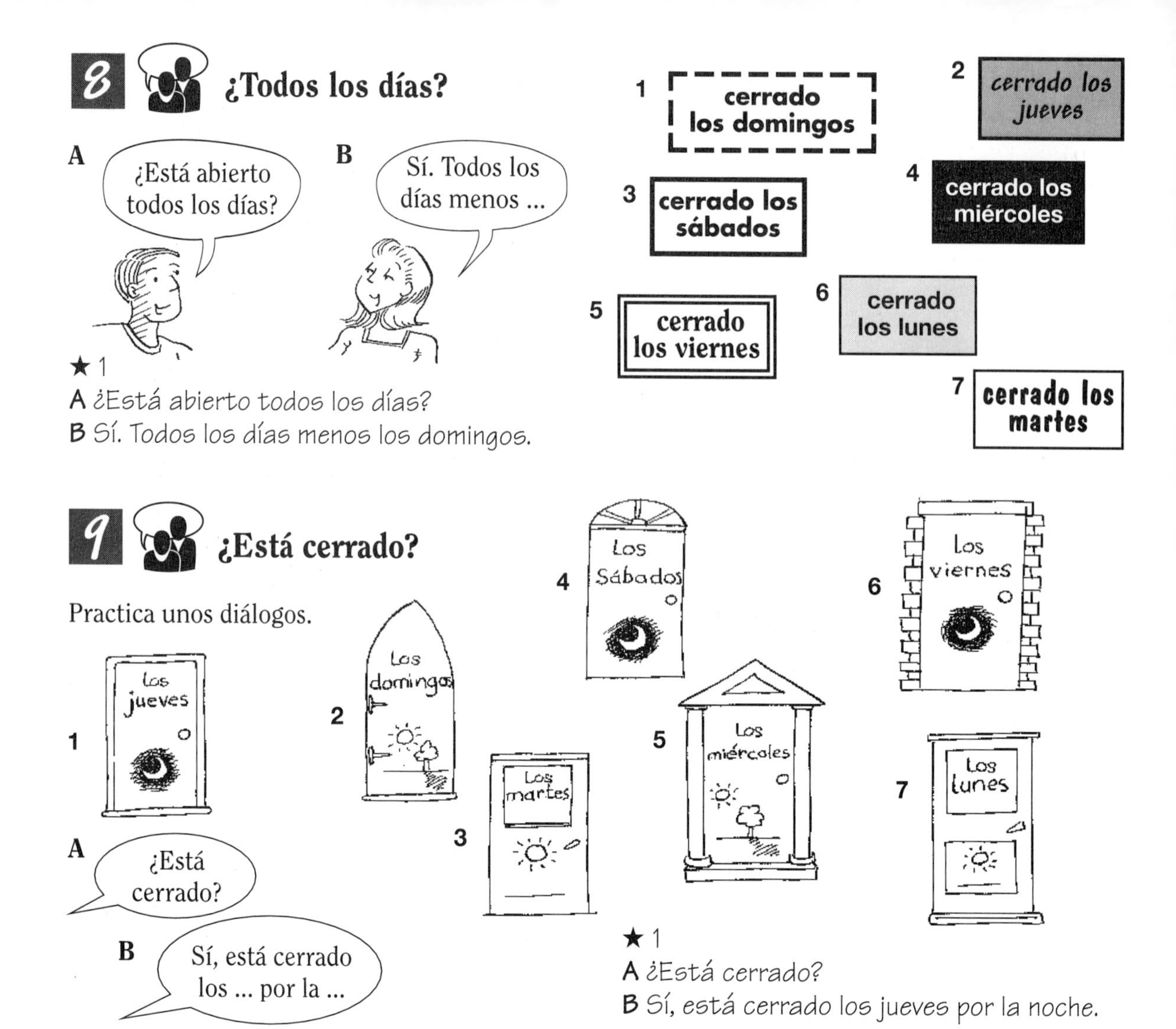

★ 1
A ¿Está abierto todos los días?
B Sí. Todos los días menos los domingos.

9 ¿Está cerrado?

Practica unos diálogos.

★ 1
A ¿Está cerrado?
B Sí, está cerrado los jueves por la noche.

10 ¿Abierto o cerrado?

¿Verdad o mentira?

★ 1 verdad

1 Está cerrado.
2 Está abierto.
3 Está abierto.
4 Está cerrado.
5 Está cerrado.
6 Está abierto.
7 Está cerrado.

11  ¿Por la mañana, por la tarde o por la noche?

Empareja las frases con los dibujos.

★ 1 c

1 Correos está abierto por la tarde.
2 La oficina de turismo está cerrado por la noche.
3 La oficina de turismo está abierto por la tarde.
4 El banco está abierto por la mañana.
5 El banco está cerrado por la mañana.
6 Correos está cerrado por la noche.

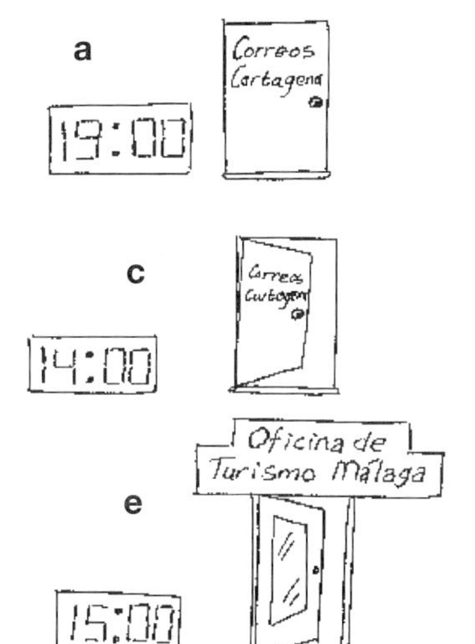

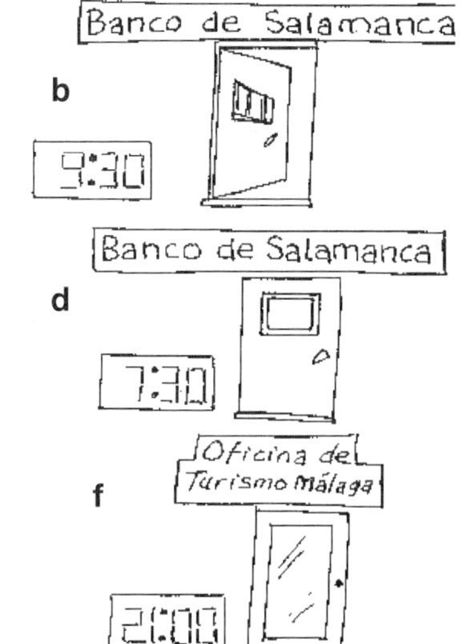

  ¿Abierto o cerrado?

Escribe 7 frases.

El banco Correos El ayuntamiento	está	abierto cerrado	los lunes los martes los miércoles los jueves los viernes los sábados los domingos	por la mañana. por la tarde. por la noche.

★ El ayuntamiento está cerrado los jueves por la tarde.

  Unas frases

Escribe 5 frases.

★ 1 por la noche

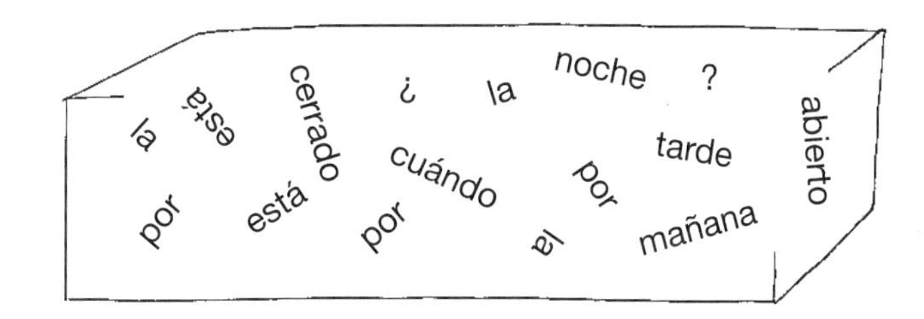

Vocabulario

abierto	*open*	los jueves	*on Thursdays*
cerrado	*shut*	los viernes	*on Fridays*
¿cuándo está abierto?	*when is it open?*	los sábados	*on Saturdays*
¿cuándo está cerrado?	*when is it shut?*	los domingos	*on Sundays*
los lunes	*on Mondays*	por la mañana	*in the morning*
los martes	*on Tuesdays*	por la tarde	*in the afternoon/evening*
los miércoles	*on Wednesdays*	por la noche	*at night*
		todos los días	*every day*
		menos	*except*

23 En casa

Most Spanish people live in blocks of flats, but some are lucky enough to have a second home in the country as well. Typical features are white-washed walls to reflect the glare of the powerful Spanish sun, flat roofs, shutters to keep out the heat and glare. Sometimes you will see a wrought iron grille over the ground floor windows. This is called a *reja*. Spanish families often enjoy meals together outdoors on the *terraza*.

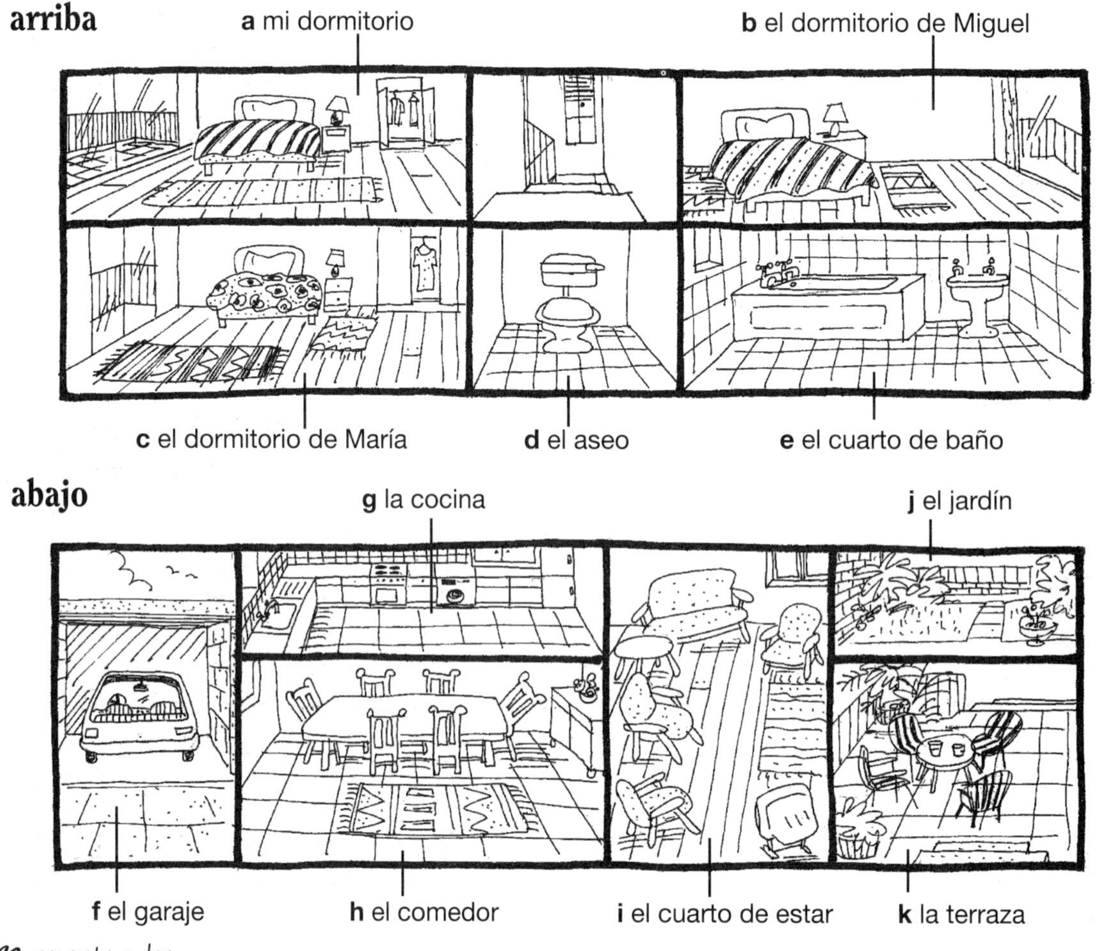

 1-6 **Arriba: ¿qué hay?**

Mira el plano.

★ 1 *e*

  1-7 **Abajo: ¿qué hay?**

Mira el plano.

★ 1 h

 1-9 **¿Arriba o abajo?**

★ 1 abajo

 **4** 1-6 **¿Si o no?**

Mira el plano.

★ 1 no

5  ¿Arriba o abajo?

Mira el plano.

- ● ★ A ¿El comedor? B Abajo.
  A ¿El ... B ...
- ● ★ A ¿Dónde está el comedor? B Abajo.
  A ¿Dónde está el ...? B ...

  ¿Arriba o abajo? ¿Sí o no?

Mira el plano.

A

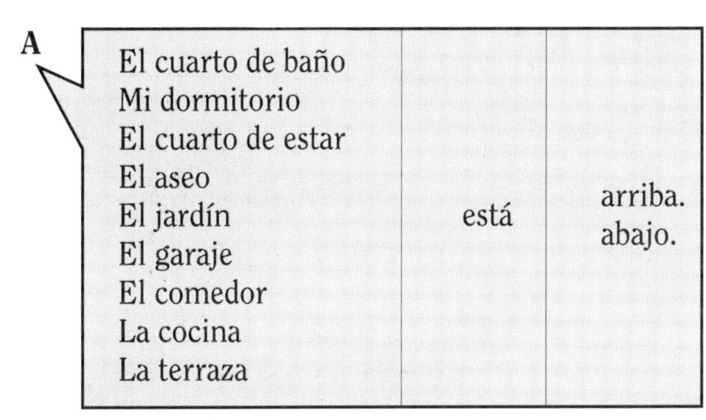

El cuarto de baño Mi dormitorio El cuarto de estar El aseo El jardín El garaje El comedor La cocina La terraza	está	arriba. abajo.

B

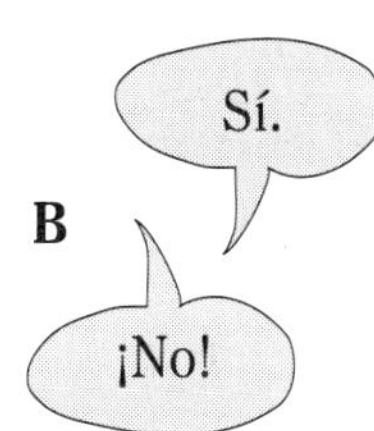

A La cocina está arriba.
B ¡No!

7 ¿Dónde está? ¿Verdad o mentira?

Mira el plano.

1 El aseo está abajo.
2 La cocina está arriba.
3 Los dormitorios están arriba.
4 El comedor está abajo.
5 El cuarto de estar no está arriba.
6 No hay jardín.
7 Hay garaje.
8 No hay terraza.
9 Arriba hay cuatro dormitorios.

★ 1 mentira

8 ¿Qué son?

Escribe **a** o **b**.

1

a) mi dormitorio
b) el aseo

2

a) el aseo
b) el comedor

3

a) el cuarto de baño
b) el cuarto de estar

4

a) el comedor
b) la cocina

5

a) el cuarto de estar
b) el comedor

6

a) el jardín
b) la terraza

7

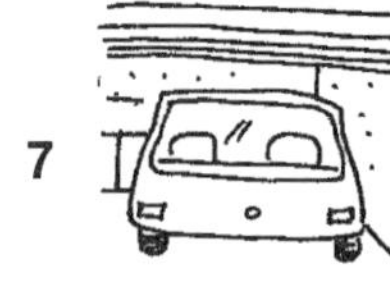

a) el garaje
b) la cocina

★ 1 a

9 Unos anuncios

Empareja.

★ Cristina - e

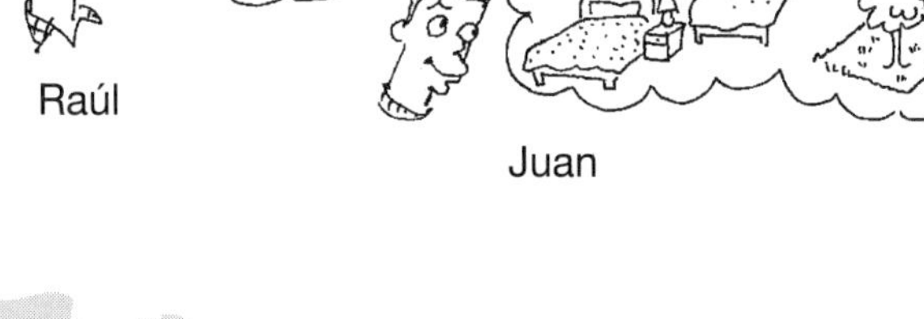

a

Santa Ana
¡Casa preciosa!
1 dorm., comedor pequeño, no tiene jardín.
15.000.000 pesetas
T. 425.31.37

b

Calle Campo Amor 21, Salamanca
3 d., garaje, jardín privado
20.000.000 ptas T. 322.46.65.

c

San Vicente de Paúl, Triana
1 dorm., terraza bonita. No hay garaje, pero hay parking enfrente de la casa.
35.000.000 pesetas
T. 512.94.83

d

Calle Chindasvinto, Madrid
¡Casa estupenda! 3d. amplios, cocina completa, cuarto de estar lujoso, baño, jardín y garaje. Tranquila, bien decorada.
60.000.000 pesetas
T. 164.29.58

e

Casa pequeña
1 dorm., tranquila, cómoda
5.000.000 ptas T. 314.26.26

10 ¿Qué son?

★ 1 el aseo

11 ¿Dónde está? ¿Arriba o abajo?

Mira el plano en la página 92.

1 El aseo está _____.
2 El comedor está _______.
3 El cuarto de estar está _______.
4 La cocina no está _____. Está abajo.
5 _____ no hay aseo.
6 ______ hay tres dormitorios.
7 Mi dormitorio está _______.

★ 1 El aseo está arriba.

12 ¿Y tú? Describe tu casa.

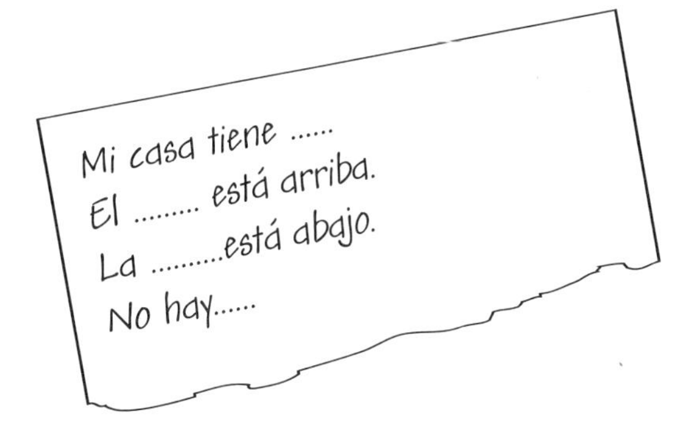

Vocabulario

tiene ...	*it has ...*	el cuarto de estar	*the living room*
hay	*there is, there are*	la cocina	*the kitchen*
el aseo	*the toilet*	la terraza	*the terrace*
el comedor	*the dining room*	el jardín	*the garden*
el cuarto de baño	*the bathroom*	el garaje	*the garage*
mi dormitorio	*my bedroom*	¿dónde está?	*where is (it)?*
el dormitorio de María	*Maria's room*	arriba	*upstairs*
tres dormitorios	*3 bedrooms*	abajo	*downstairs*

24 En caso de urgencia

Let's hope you never need to contact the emergency services while you're on holiday. You may, however, hear about accidents or disasters in radio or TV bulletins or read about them in the newspapers. This unit will help you to understand them.

1 1-8 ¡Socorro!

Escribe **T, P, A** o **B**.

★1 B

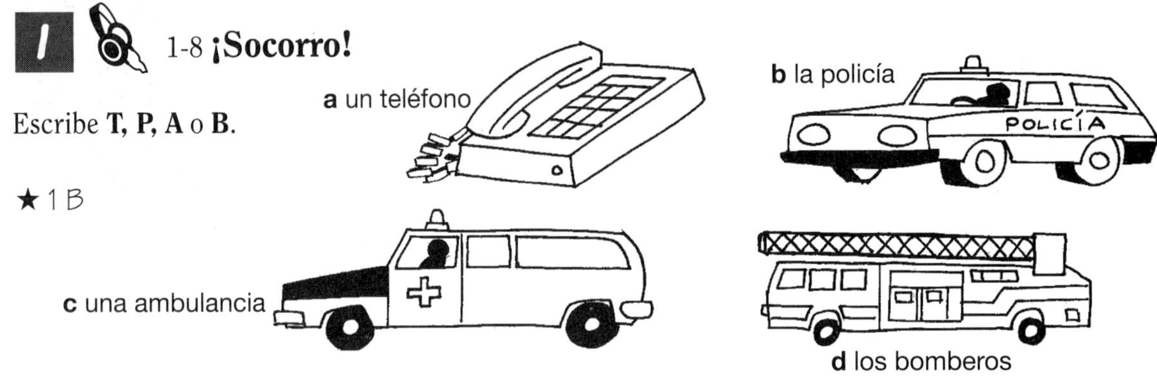

2 1-6 ¡Socorro! ¡Venga de prisa! ¡Es urgente!

¿Qué dicen? Escribe **S** (Socorro), **V** (Venga de prisa) o **U** (Es Urgente).

★1 S U

3 1-9 ¿Qué pasa?

★ 1 *a*

4 1-5 En caso de urgencia

- ¿Policía, ambulancia o bomberos? Escribe **P**, **A** o **B**.
- ¿Qué pasa? Escribe las palabras.

★ 1 *A, accidente*

5 ¡Socorro!

Escucha y repite.

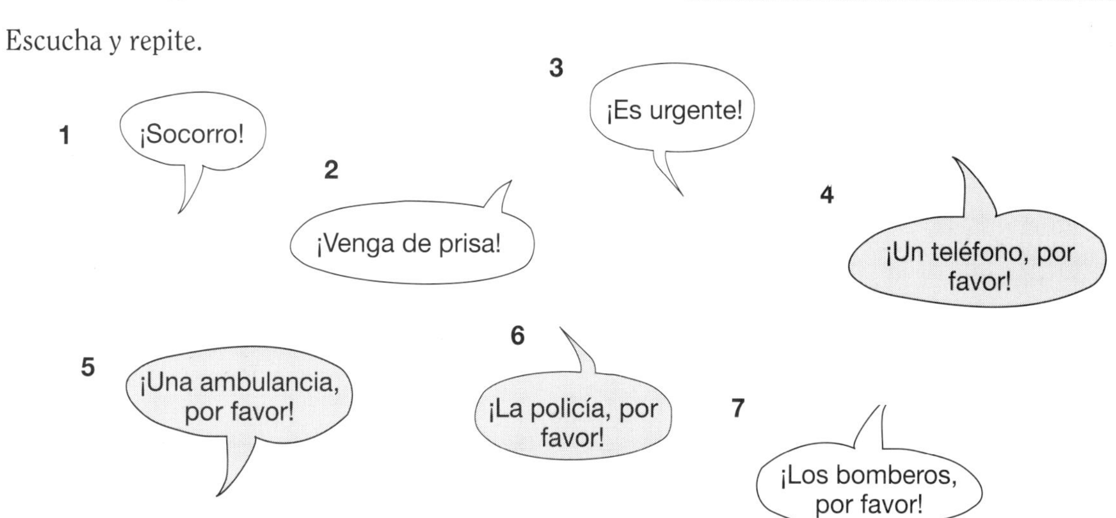

6 ¿Qué pasa?

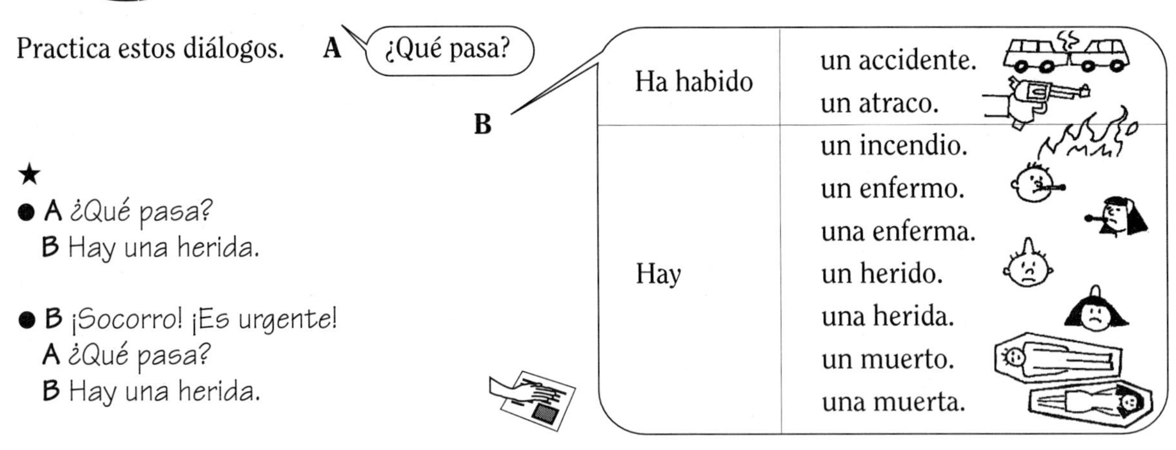

Practica estos diálogos.

A ¿Qué pasa?

B

Ha habido	un accidente. un atraco.
Hay	un incendio. un enfermo. una enferma. un herido. una herida. un muerto. una muerta.

★

- A ¿Qué pasa?
  B Hay una herida.

- B ¡Socorro! ¡Es urgente!
  A ¿Qué pasa?
  B Hay una herida.

7 ¡Socorro!

Practica unos diálogos. Mira 6.

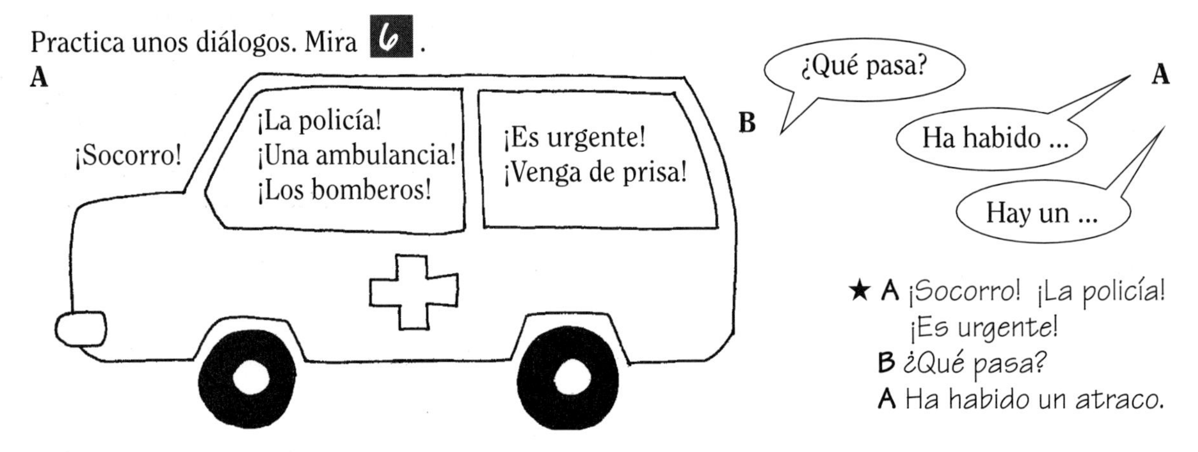

★ A ¡Socorro! ¡La policía!
¡Es urgente!
B ¿Qué pasa?
A Ha habido un atraco.

8 Las Actualidades

Lee y toma notas en inglés.

a Ha habido un accidente de tráfico bastante grave en la carretera de Barcelona. Según el último reportaje un coche chocó de frente con un camión y de momento hay un muerto y ...

b Ha habido un atraco en un Banco en la calle San Fermín, Madrid. Esta mañana tres ladrones entraron en el banco de Santander y robaron cien millones de pesetas. Amenazaron a la gente con pistolas y, por desgracia, el director del Banco, el Señor Juan Vela, resultó muerto ...

c A causa de un incendio en el centro de la ciudad de Valladolid los bomberos trabajan desde hace 16 horas. Según el último reportaje la situación empeora y actualmente quedan cinco heridos y dos muertos ...

d Esta tarde, a eso de las cinco y media, una enferma fue llevada al hospital "Primero de Octubre", Madrid, como consecuencia de un infarto cardíaco ...

e Hoy, en una autovía cerca de Madrid, tras un accidente de tráfico muy grave, las víctimas tuvieron que ser rescatadas por los bomberos. Al llegar al hospital todos estaban muertos ...

★ a accident, Barcelona, 1 dead

9 ¿Qué son?

Escribe y completa estas 9 palabras.

★ 1 accidente

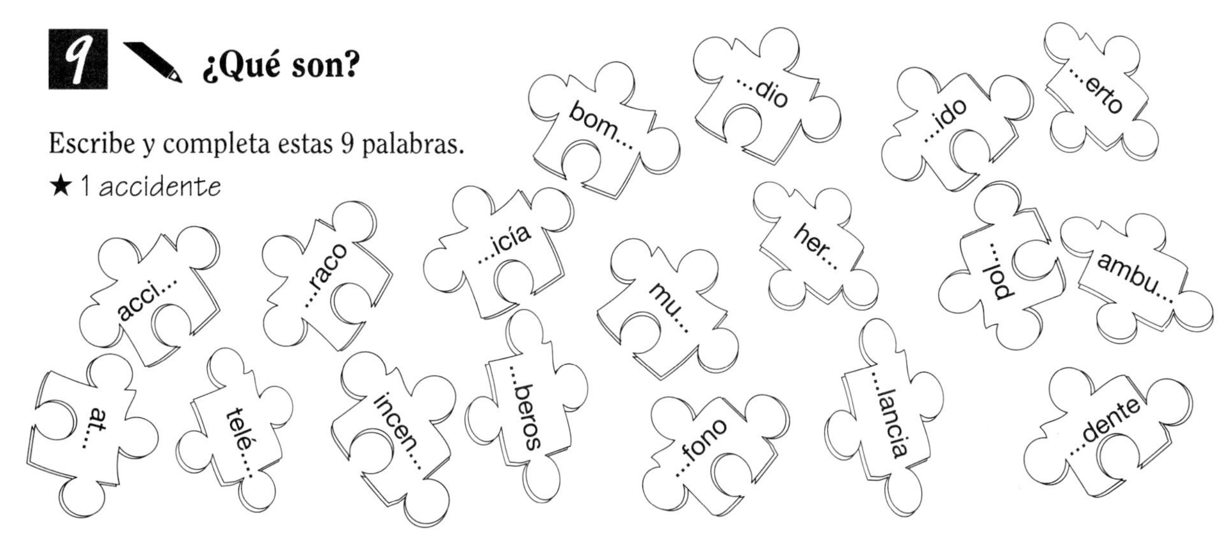

10 ¿Qué dicen?

★1 ¡Socorro! Un teléfono.

11 ¡Socorro!

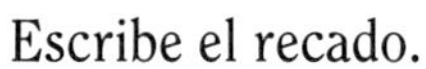

Escribe el recado.

★ ¡Socorro! ...

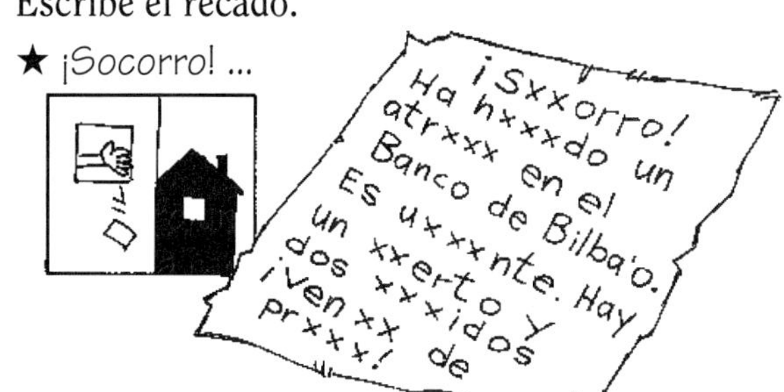

12 ¿Y tú?

Mira 11.

Escribe tus recados:

- ¡Socorro!
- ¿accidente? ¿enfermo? ¿muerto? ¿herido?
- ¿urgente? ¿venga de prisa? ...

Vocabulario

un teléfono	*a telephone*
¡socorro!	*help*
la policía	*police*
una ambulancia	*an ambulance*
los bomberos	*fire brigade*
¡venga de prisa!	*come quickly*
¡es urgente!	*it's urgent*
¿qué pasa?	*what's the matter?*
ha habido un accidente	*there has been an accident*
ha habido un atraco	*there has been a hold up*
hay un incendio	*there's a fire*
hay un enfermo	*there's someone ill, sick*
hay un herido	*there's someone injured*
hay un muerto	*there's someone dead*

25 De tapas

Most Spanish bars serve a variety of snacks called *tapas*. They aren't usually free, but there are some bars which will offer a *tapa* free with every beer. They range from a portion *(una ración)* of Spanish omelette -- *tortilla* -- to octopus in its own ink -- *pulpo en su tinta*. But vegetarians beware! Most *tapas* will have meat in them.

1 1-8 Una ración de ... por favor.

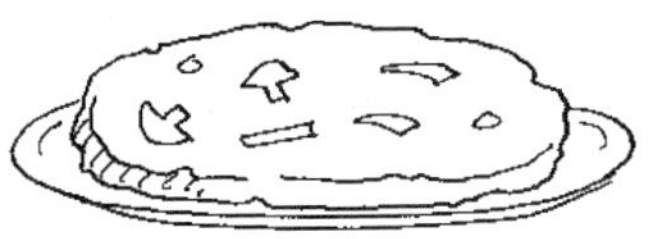

a tortilla española

b calamares

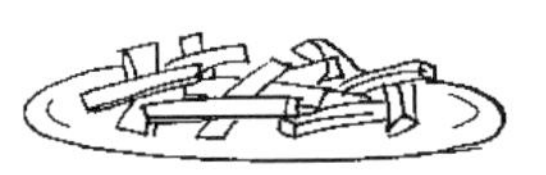

c patatas fritas

d albóndigas

e gambas

★ 1 c

2 1-6 Un bocadillo, por favor.

¿Verdad o mentira?

1 jamón
2 chorizo
3 queso
4 salchichón
5 jamón y queso
6 salchichón y chorizo

★ 1 mentira

3 1-5 ¿Algo más? ¿Sí o no?

★ 1 no

4 1-6 De tapas

Toma notas.

1 Juan
2 María
3 Jesús
4 Pili
5 Santiago
6 Juanita

★ 1 Juan: calamares.

5 ¿Quiere una tapa?

Practica unos diálogos.

Sí, una ración de	tortilla española, patatas fritas, calamares, albóndigas, gambas,	por favor.

★
A ¿Quiere una tapa?
B Sí, una ración de gambas, por favor.

6 Un bocadillo, por favor.

Practica las frases.

1 Un bocadillo de salchichón, por favor.
2 Un bocadillo de queso, por favor
3 Un bocadillo de jamón, por favor.
4 Un bocadillo de chorizo, por favor.

7 ¿Algo más?

Practica estos diálogos.

A	1	2	3	4
B		¿Algo más?	¿Algo más?	
A	1	2	3	4

★ 1 A Una racíon de tortilla española, por favor.
B ¿Algo más?
A Sí, una ración de calamares, por favor.

8 Comprando tapas

Practica estos diálogos.

2
BAR LA ESQUINA
1 x boc. de queso
1 x rac. de gam.
1.000 ptas

4
BAR LA ESQUINA
1 x boc. de chor.
1 x rac. de gamb.
1.400 ptas

★ 1
A Un bocadillo de jamón, por favor.
B Sí señor/señora. ¿Algo más?
A No, gracias.

9 ¿Qué es eso?

Mira 8. Escribe la frase entera.

★ 1 (1 x boc. de jamón) Un bocadillo de jamón.

10 ¿Y qué es eso?

a

1 una ración de tortilla española
2 un bocadillo de queso
3 un bocadillo de jamón

b

1 un bocadillo de chorizo
2 un bocadillo de salchichón
3 una ración de gambas

c

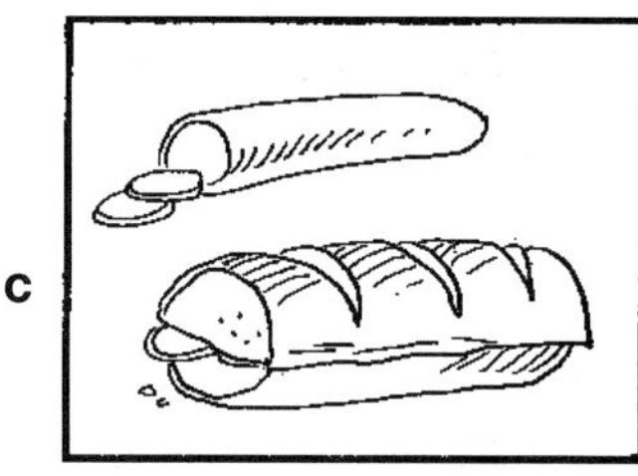

1 una ración de gambas
2 una ración de albóndigas
3 un bocadillo de chorizo

d

1 una ración de tortilla española
2 un bocadillo de salchichón
3 una ración de calamares

e

1 una ración de patatas fritas
2 un bocadillo de salchichón
3 un bocadillo de queso

★ a 2

11 En el bar

¿Verdad o mentira?

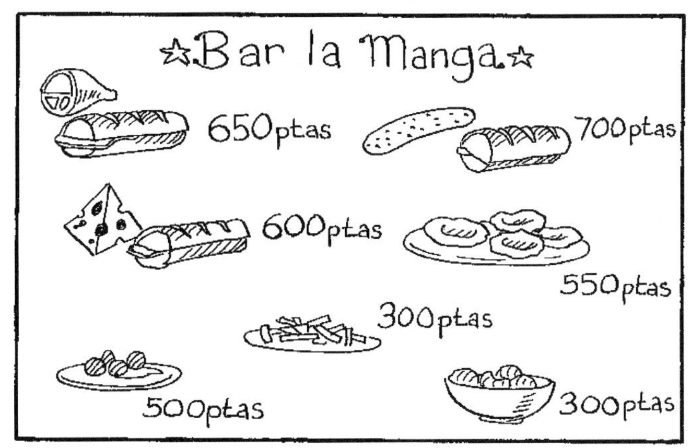

★ 1 mentira - 600 ptas

1 Un bocadillo de queso, son 2.000 pesetas.
2 Una ración de calamares, son 550 pesetas.
3 Dos raciones de albóndigas, son 1.000 pesetas.
4 Una ración de patatas fritas, son 300 pesetas.
5 Un bocadillo de salchichón, son 600 pesetas.
6 Un bocadillo de jamón, son 350 pesetas.
7 Tres raciones de gambas, son 900 pesetas.

12 ¿Qué es eso?

1 tapas
2 calamares
3 patatas fritas
4 gambas
5 tortilla española
6 albóndigas
7 bocadillos de queso y de chorizo

★ 1 tapas

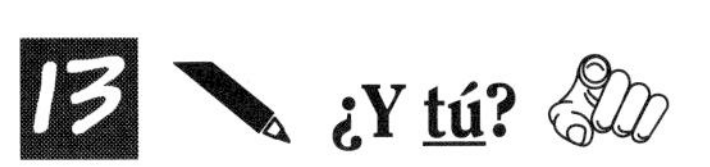

13 ¿Y tú?

Mira 11 .
Escribe tu lista de precios:

- de tapas
- de bocadillos

Vocabulario

tapas	*snacks*	un bocadillo de ...	*a ... sandwich*
¿quiere ...?	*would you like ...*	queso	*cheese*
una ración de ...	*a portion of ...*	jamón	*ham*
tortilla española	*Spanish omelette*	chorizo	*salami*
patatas fritas	*chips*	salchichón	*spicy sausage*
calamares	*squid rings*	¿algo más?	*anything else?*
albóndigas	*meatballs*	sí, ... por favor	*yes, ... please*
gambas	*prawns*	no, gracias	*no thank you*

26 En El Corte Inglés

You will probably need to buy something from a large department store such as *El Corte Inglés*, and a visit would be interesting in itself. This unit will teach you some of the departments and where to find them.

1 Está ...

Escucha y lee.

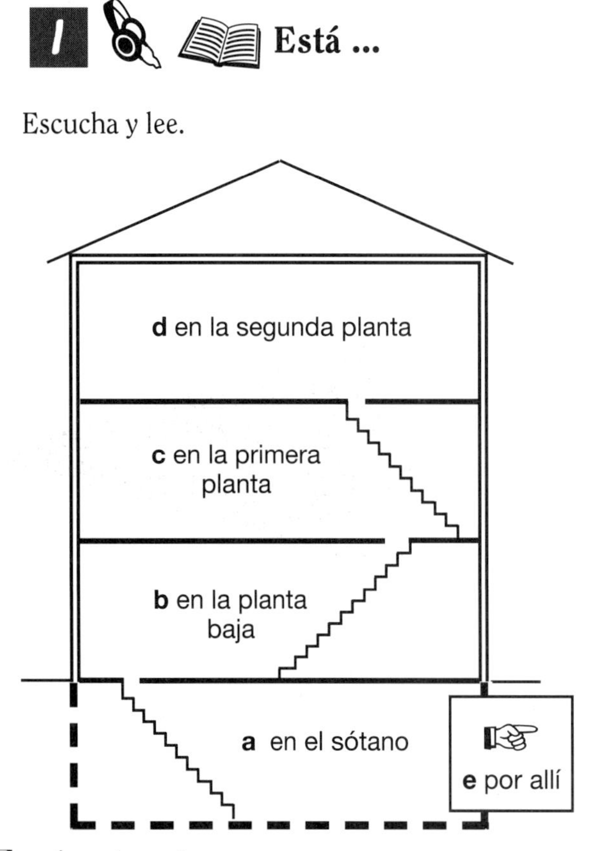

2 1-9 Está ...

Escribe **s** (sótano), **pb** (planta baja), **pp** (primera planta), **sp** (segunda planta) o ➜ (por allí)

★ 1 pp

3 1-7 ¿Dónde está ...?

★ 1 c

1-7 Dónde está la sección ...?

★ 1 h

f de ropa

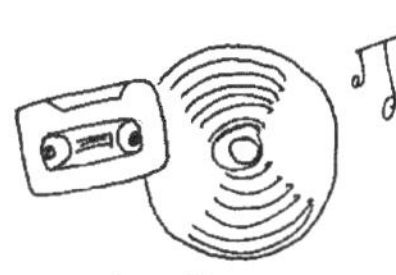

g de discos

h de recuerdos

i de deportes

j de zapatos

¿Qué es eso?

a el supermercado

b la sección de ropa

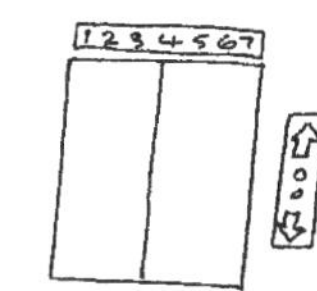

c el ascensor

d la caja

e la escalera mecánica

f la papelería

g la sección de deportes

h la sección de discos

i la sección de zapatos

j la sección de recuerdos

★
a el supermercado

¿Qué es eso?

Escoge un dibujo. Dibuja y esconde.

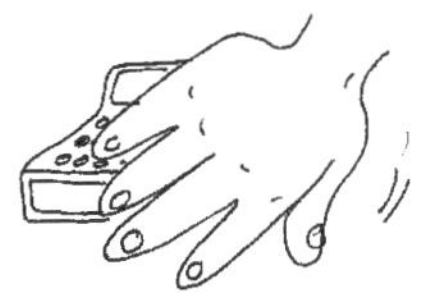

★ A ¿Qué es?
B ¿La sección de discos?
A No.
B ¿La ...?
A No.
¡Sí!

¿Dónde está ...?

Mira 5 .
Practica estas preguntas.

★ A ¿Dónde está el supermercado?

B ¿Dónde está el ascensor?

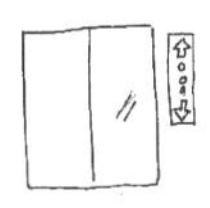

A ¿Dónde ...?

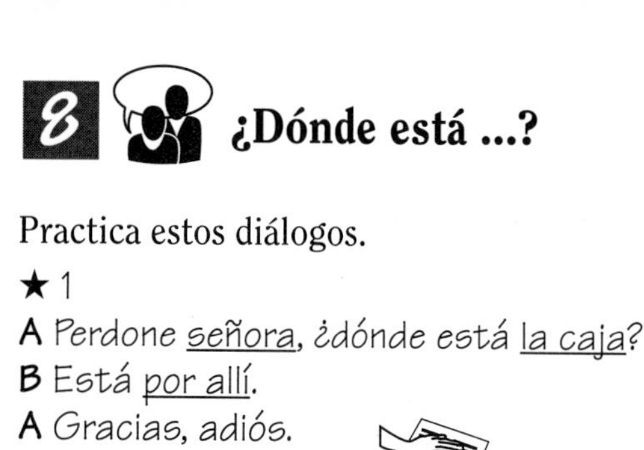

8 ¿Dónde está ...?

Practica estos diálogos.

★ 1

A Perdone señora, ¿dónde está la caja?
B Está por allí.
A Gracias, adiós.
B De nada, adiós.

1

2

3

4

5

6

9 ¿Dónde está?

Empareja.

★ 1 g

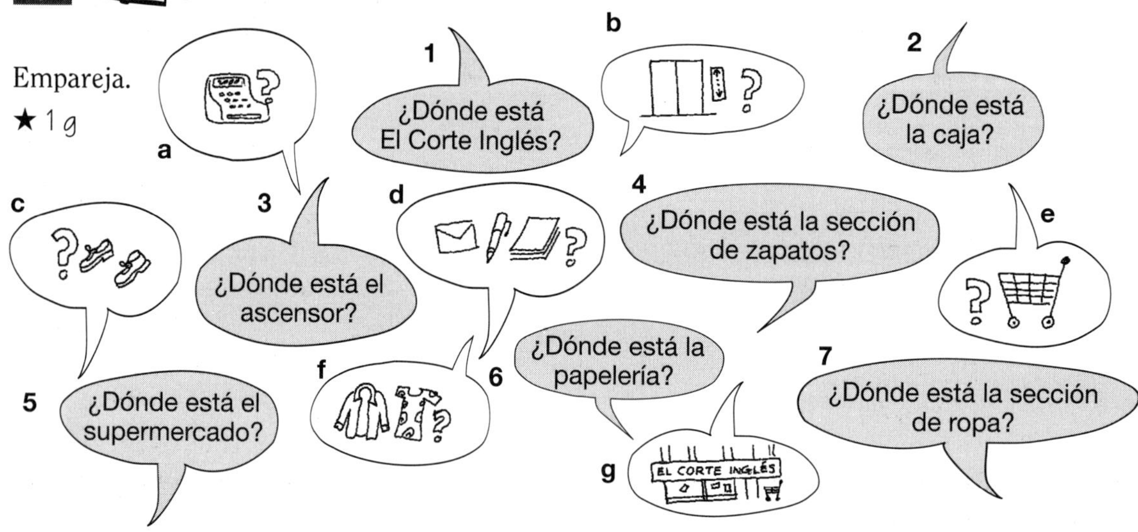

10 ¿Verdad o mentira?

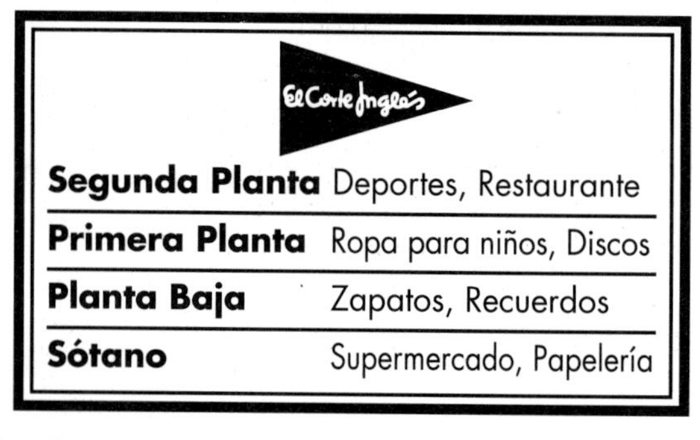

El Corte Inglés

Segunda Planta	Deportes, Restaurante
Primera Planta	Ropa para niños, Discos
Planta Baja	Zapatos, Recuerdos
Sótano	Supermercado, Papelería

★ 1 M (mentira)

1 Es Woolworth.
2 La sección de ropa está en la primera planta.
3 La sección de discos está en la planta baja.
4 El supermercado está en el sótano.
5 La sección de deportes está en la segunda planta.
6 La sección de recuerdos está en el sótano.
7 La papelería está en la planta baja.
8 La sección de zapatos esta en la planta baja.

11 ¿Qué es eso?

★ 1 el ascensor

12 ¿Qué?

Escribe el diálogo. Completa las frases.

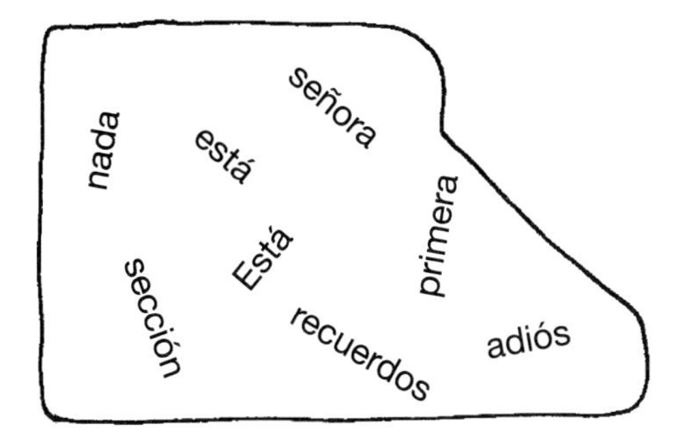

13 ¿Y tu gran almacén? ¿Cómo es? Dibuja.

El Corte Smith

Vocabulario

¿dónde está ...?	*where is ...?*
el supermercado	*the food section, the supermarket*
el ascensor	*the lift*
la caja	*the till*
la escalera mecánica	*the escalator*
la papelería	*the stationery*
la sección de ropa	*the clothes department*
la sección de discos	*the music department*
la sección de recuerdos	*the souvenirs department*
la sección de deportes	*the sports department*
la sección de zapatos	*shoe department*
está ...	*it is ...*
por allí	*over there*
en el sótano	*in the basement*
en la planta baja	*on the ground floor*
en la primera planta	*on the first floor*
en la segunda planta	*on the second floor*
gracias, adiós	*thank you, goodbye*
de nada	*don't mention it*

27 En la estación de servicio

The sign you will see is *la estación de servicio*, but Spanish people will often call the petrol station *la gasolinera*. Many petrol stations are self-service, but in smaller towns and villages there will usually be an attendant. This unit will help you to buy petrol and sort out some problems you may have with your car.

1  1-7 ¿Qué quiere?

Escribe **s**, **sp** o **g**.

Póngame ...

★ 1 sp

2  1-8 ¿Cuántos litros?

Escribe el número o **llénelo.**

★ 1: 20

3 1-7 ¿Cuántos litros? ¿De qué clase?

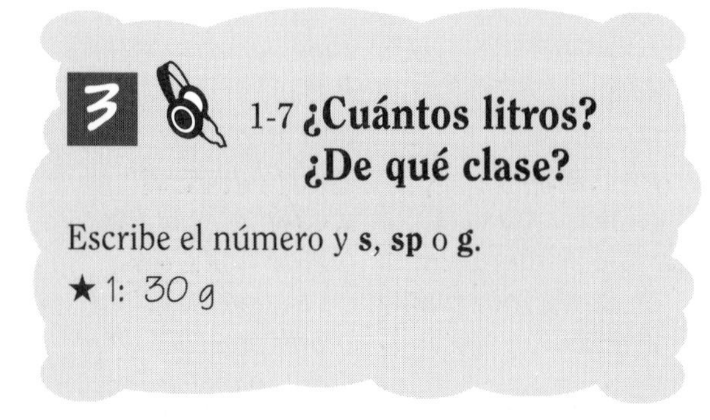

Escribe el número y **s**, **sp** o **g**.

★ 1: 30 g

4  1-6 ¿Puede mirar ...?

★ 1 c

5 1-7 ¿Quién habla?

Escribe el nombre.

★ 1 José

6 ¿Qué es?

sin plomo

súper

autoservicio

la estación de servicio/ la gasolinera

gasóleo

7 ¿Cuántos litros?

diez
veinte
treinta
cuarenta
cincuenta
sesenta

★ Póngame 40 litros, por favor.

8 ¿Puede mirar ...?

¿Puede mirar ...?

¿Puede mirar el aire?

¿Puede mirar el agua?

¿Puede mirar el aceite?

9 ¿Cuántos litros? ¿De qué clase?

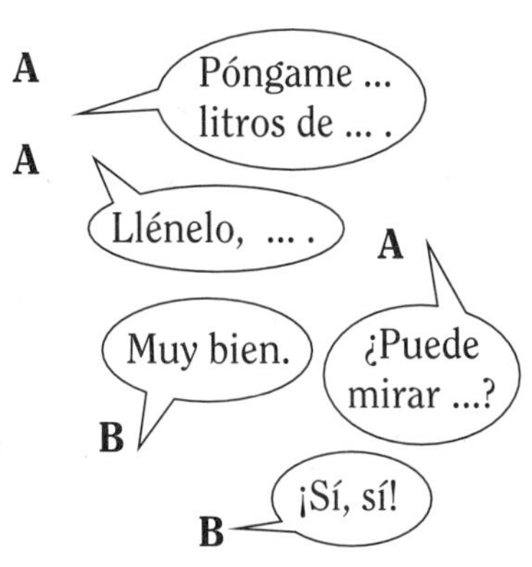

a 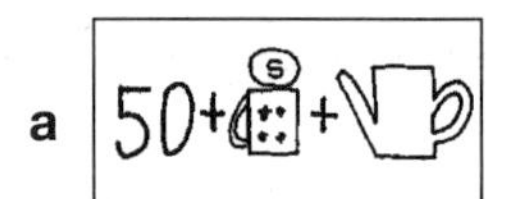

b 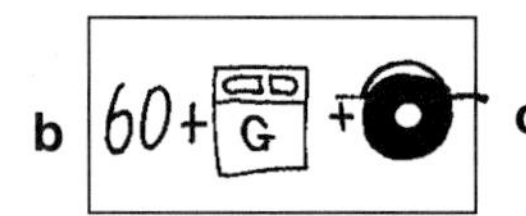

c 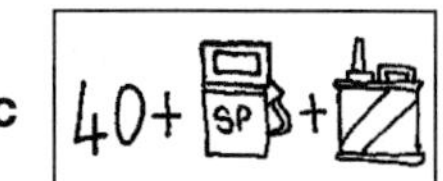

d 

e 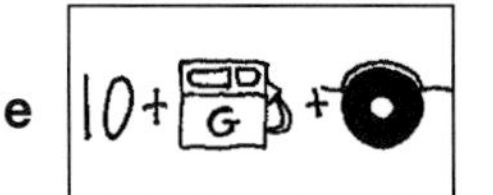

f 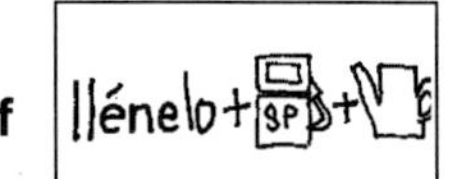

★ a
A Póngame cincuenta litros de súper.
B Muy bien.
A ¿Puede mirar el agua, por favor?
B ¡Sí, sí!

10 ¿Qué es?

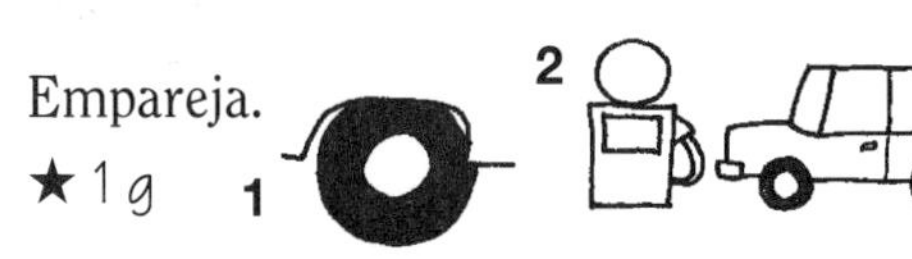

Empareja.
★ 1 g

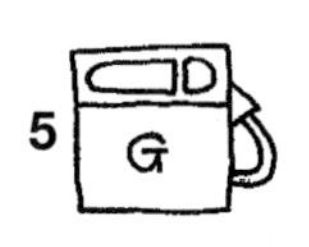

a GASÒLEO b ACEITE c SÙPER d ESTACIÒN DE SERVICIO

e SIN PLOMO f AGUA g AIRE

11 En la gasolinera

Copia y completa las frases en inglés:

a Numbers .... bought unleaded petrol.
b Numbers .... bought diesel.
c Numbers .... bought four star petrol.
d Numbers .... bought a full tank of petrol.
e Numbers .... bought 30 litres or less.
f Numbers .... bought 40 litres or more.

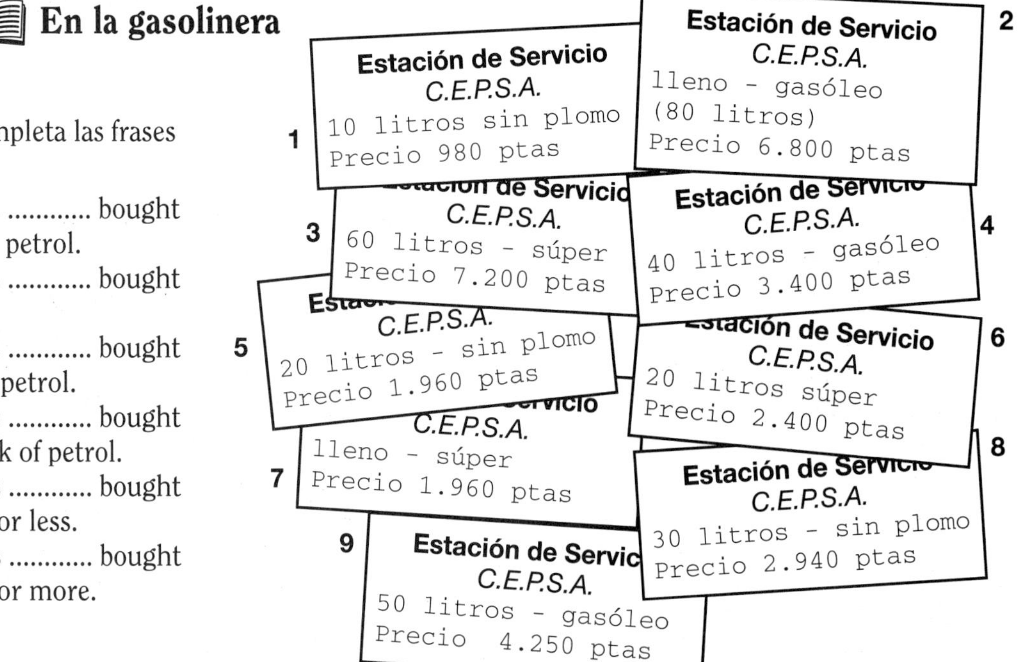

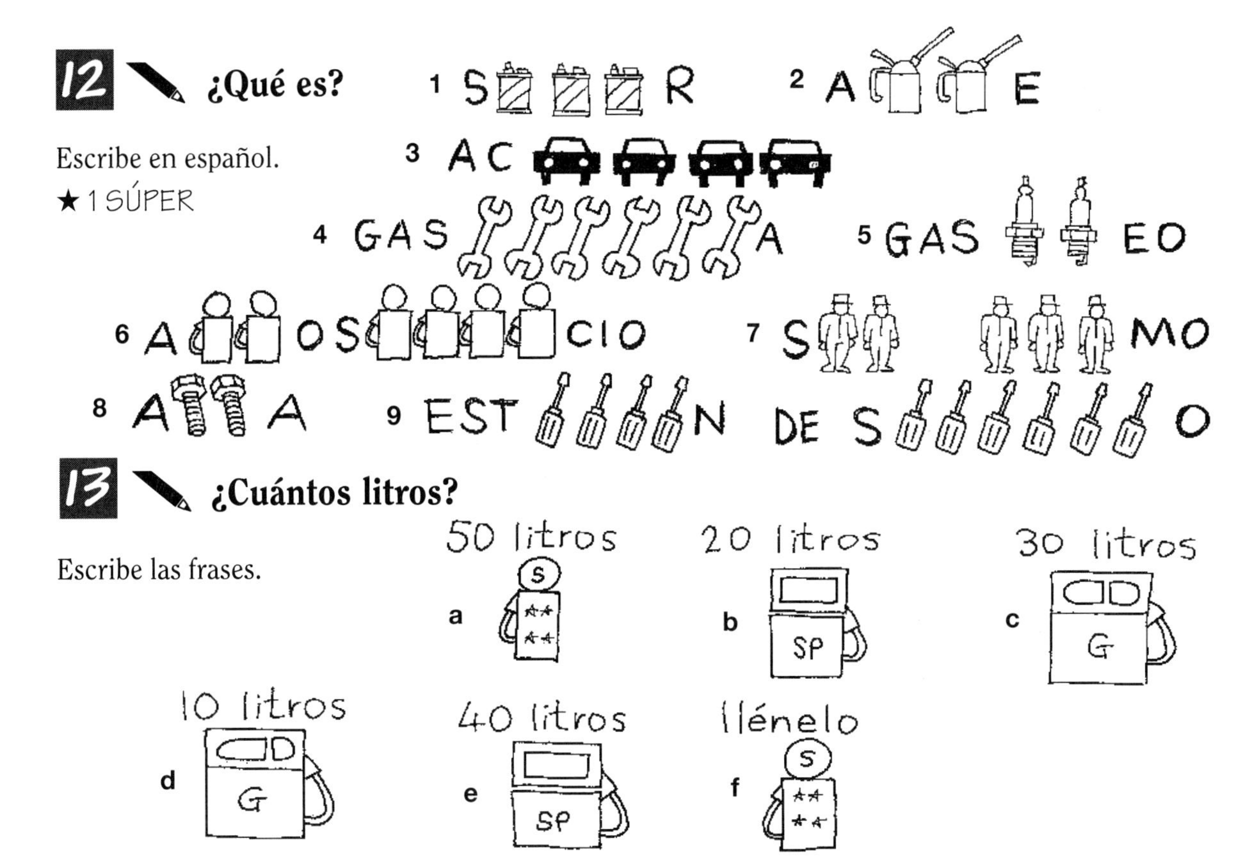

12 ¿Qué es?

Escribe en español.

★ 1 SÚPER

13 ¿Cuántos litros?

Escribe las frases.

★ a Póngame cincuenta litros de súper, por favor.

14 ¿Y tu estación de servicio?

Escribe un anuncio para tu estación de servicio.

Vocabulario

la estación de servicio	*the petrol station*	¿qué clase?	*what kind?*
la gasolinera	*the petrol station*	súper	*4 star petrol*
autoservicio	*self-service*	sin plomo	*unleaded petrol*
póngame	*give me*	gasóleo	*diesel*
diez litros de ...	*10 litres of ...*	llénelo, por favor	*a full tank, please*
veinte	*20*	puede mirar ...	*can you check ...*
treinta	*30*	el aire	*the air*
cuarenta	*40*	el aceite	*the oil*
cincuenta	*50*	el agua	*the water*
sesenta	*60*		

28 ¿Qué hora es?

No matter where you are, you will often need to know the time – whether it's so you don't miss the *fiesta*, or dinner; so you can meet up with friends or catch the plane home. Just in case your watch isn't working, make sure you study this unit.

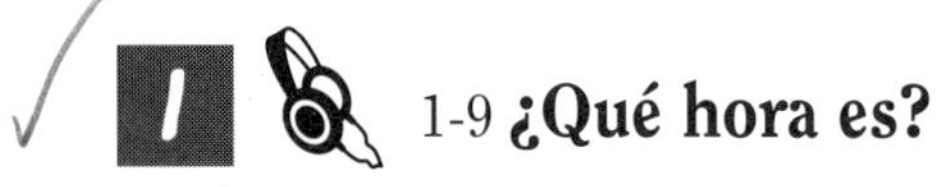

1 1-9 ¿Qué hora es?

★ 1: *06.00*

2 1-6 Son las ... y media.

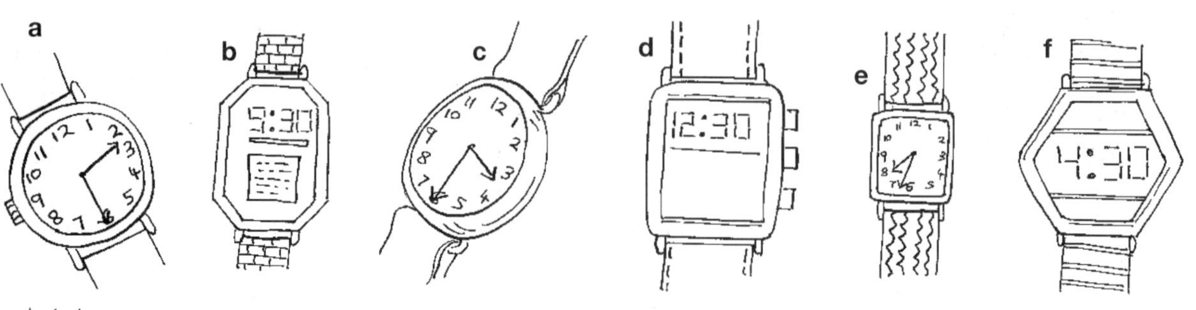

★ 1 *d*

3 1-6 ¿Qué hora es?

Escribe la hora.

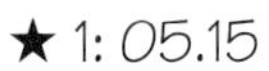

★ 1: 05.15

4 1-6 ¿Qué hora es?

Dibuja la hora.

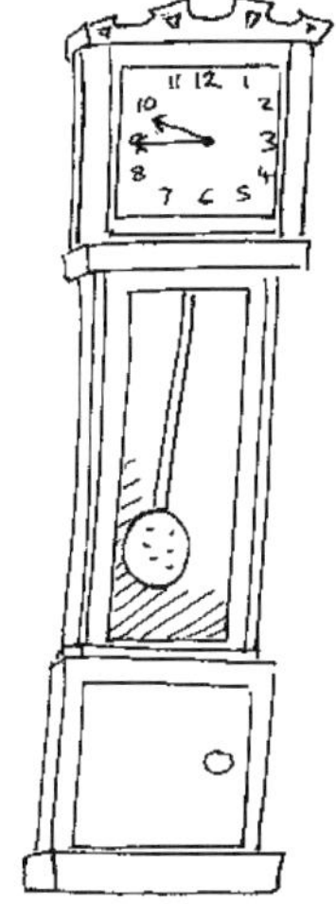

★ 1 

5 1-6 ¿Menos cuarto o y cuarto?

Escribe **menos** o **y**.

★ 1 *menos*

menos cuarto	y cuarto
1.45	2.15
3.45	4.15
5.45	6.15
7.45	8.15
9.45	10.15
11.45	12.15

6 1-7 ¿A qué hora es?

Copia el cuadro y completa.

la película 

el concierto de jazz 

el partido de fútbol 

la fiesta de Marga 

el concierto clásico 

la fiesta de Ignacio 

el partido de tenis 

	¿A qué hora es?
1	★ 7.15
2	
3	
4	
5	
6	
7	

7 ¿Qué hora es?

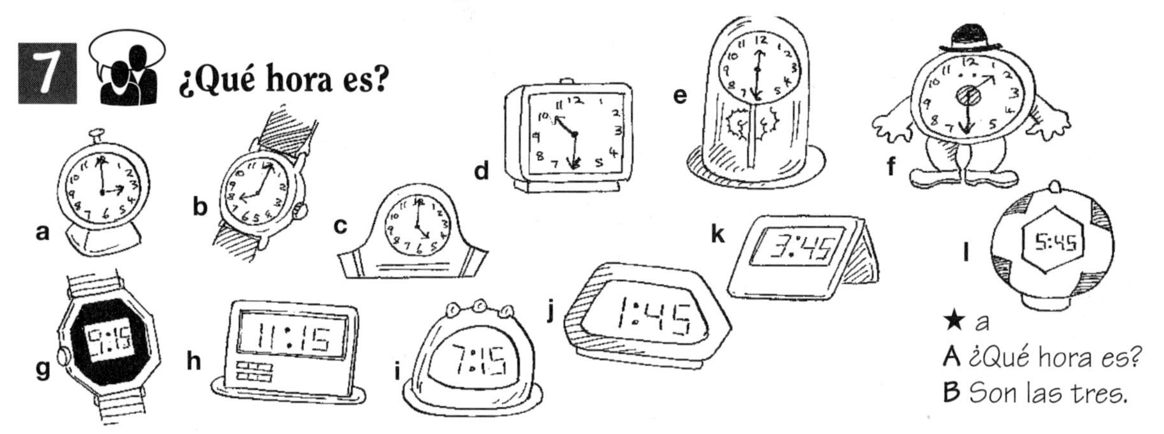

★ a
A ¿Qué hora es?
B Son las tres.

8 ¿A qué hora es?

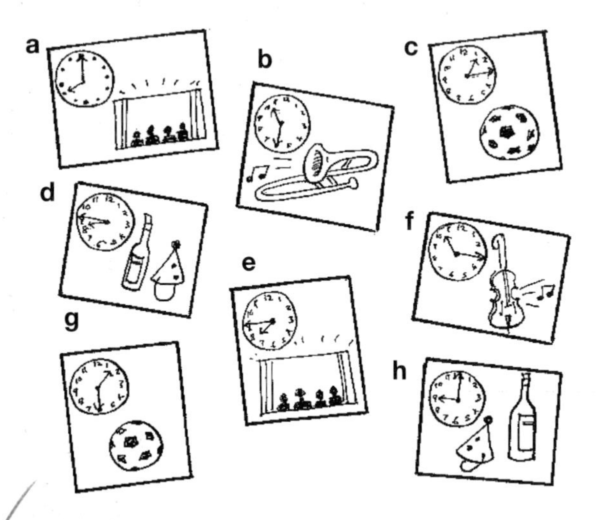

Es la A la	una	
Son las A las	dos tres cuatro cinco seis siete ocho nueve diez once doce	menos cuarto y cuarto y media

★ a
A ¿A qué hora es la película?
B A las ocho.

9 ¿Qué hora es?

Escribe **a**, **b** o **c**.

1 **5.00**
a Son las cinco y cuarto.
b Son las cinco.
c Son las cuatro y media.

2 **9.30**
a Son las nueve menos cuarto.
b Son las ocho y media.
c Son las nueve y media.

3 **11.45**
a Son las doce menos cuarto.
b Son las once y cuarto.
c Son las once menos cuarto.

4 **4.15**
a Son las cinco y cuarto.
b Son las cuatro menos cuarto.
c Son las cuatro y cuarto.

5 **1.30**
a Es la una y media.
b Son las dos y cuarto.
c Es la una y cuarto.

6 **2.45**
a Son las dos y media.
b Es la una y cuarto.
c Son las tres menos cuarto.

7 **1.45**
a Son las doce menos cuarto.
b Son las dos menos cuarto.
c Es la una y cuarto.

8 **12.30**
a Son las once y media.
b Son las doce y media.
c Son las doce y cuarto.

★ 1 b

10 ¿Qué hora es?

Completa las frases.

★ a Son las cuatro.

a (4:00) Son las .....

b [6:00] Son las .....

c (3:15) Son las ..... y ......

d (11:15) Son las ...... y ....

e (7:30) Son las ..... y ....

f [9.30] Son las ..... y .....

g (9.45) Son las ..... menos ....

h (12:45) Es la ..... menos ......

11 Un diario

Completa el diario.

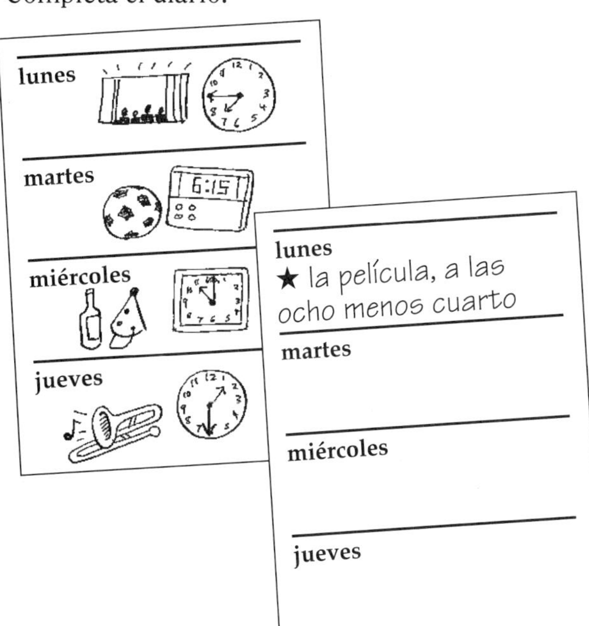

Vocabulario

¿qué hora es?	*what time is it?*	¿a qué hora es ...?	*at what time is ...?*
es la una	*it's one o'clock*	la película	*the film*
son las dos	*it's two o'clock*	el concierto	*the concert*
son las tres y media	*it's half past three*	el partido	*the match*
son las cuatro y cuarto	*it's a quarter past four*	la fiesta	*the party*
son las cinco menos cuarto	*it's a quarter to five*	a la una	*at one o'clock*
		a las dos	*at two o'clock*

seis	siete	ocho	nueve	diez	once	doce
six	*seven*	*eight*	*nine*	*ten*	*eleven*	*twelve*

29 Carta a casa

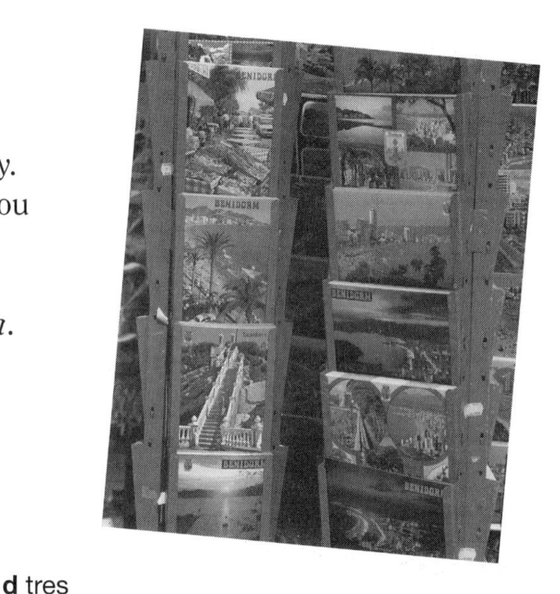

We all like to send letters or postcards to our families and friends while we are away on holiday. This unit will show you how to buy everything you need. You can buy stamps and postcards in *el estanco*, which is similar to a newsagent's; for writing paper and envelopes look for *la papelería*.

1-7 **¿Qué quiere?**

Me da ...

a un sello

b dos sellos

c una postal

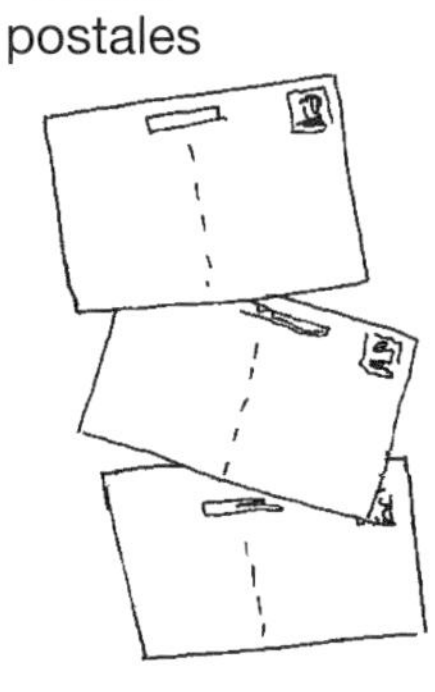

d tres postales

e papel para escribir cartas

f unos sobres

... por favor.

★ 1 b

1-8 **¿Cuántos sellos? ¿Para qué país?**

1 

un sello

2 

dos sellos

3 

tres sellos

Gran Bretaña (GB)

Francia (F)

España (E)

Los Estados Unidos (USA)

★ 1: 2 - USA

1-8 ¿Cuántas postales? ¿De qué?

una postal

dos postales

a la playa

b la plaza mayor

tres postales

c el barrio viejo

d el teatro romano

★ 1: 3 - b

¿Qué es?

Mira **1** .

A ………

Comprando sellos

¿Me da	un sello dos sellos tres sellos	para	Francia, Gran Bretaña, España, los Estados Unidos,	por favor?

¡Practica 12 diálogos!

★
A ¿Me da un sello para Francia, por favor?
B Sí, tenga.

6 Y unas postales

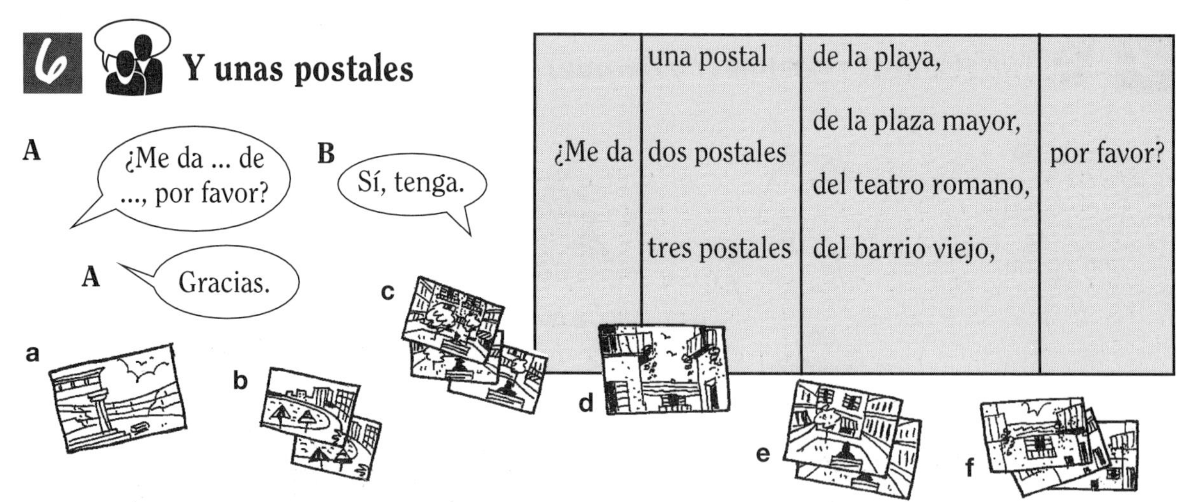

¿Me da	una postal	de la playa,	por favor?
	dos postales	de la plaza mayor,	
	tres postales	del teatro romano,	
		del barrio viejo,	

★ a A ¿Me da una postal del teatro romano, por favor?
B Sí, tenga.
A Gracias.

7 ¿Qué quiere?

Dibuja.

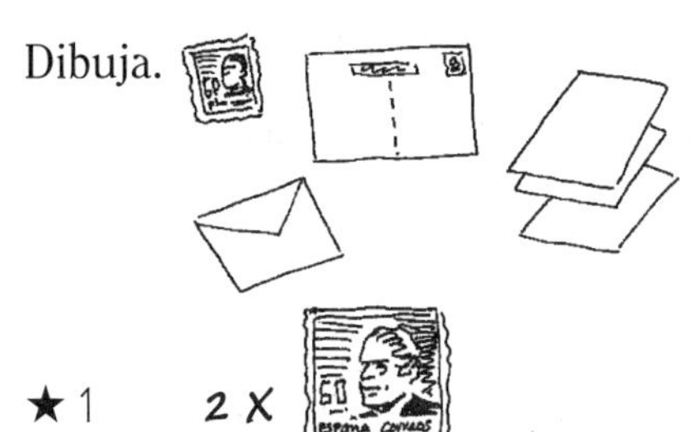

★1 2 X

1 ¿Me da dos sellos, por favor?
2 ¿Me da papel para escribir cartas, por favor?
3 Unos sobres, por favor.
4 Tres sellos para Francia y tres postales de la playa.
5 Unos sobres, y dos sellos, por favor.
6 ¿Me da papel para escribir cartas, y unos sobres, por favor?
7 Un sello y una postal, por favor.

8 ¿Cuántas postales? ¿Cuántos sellos? ¿Para qué país?

Copia el cuadro y completa:

	postales	sellos	¿para qué país?
1	★1	1	USA
2			
5			

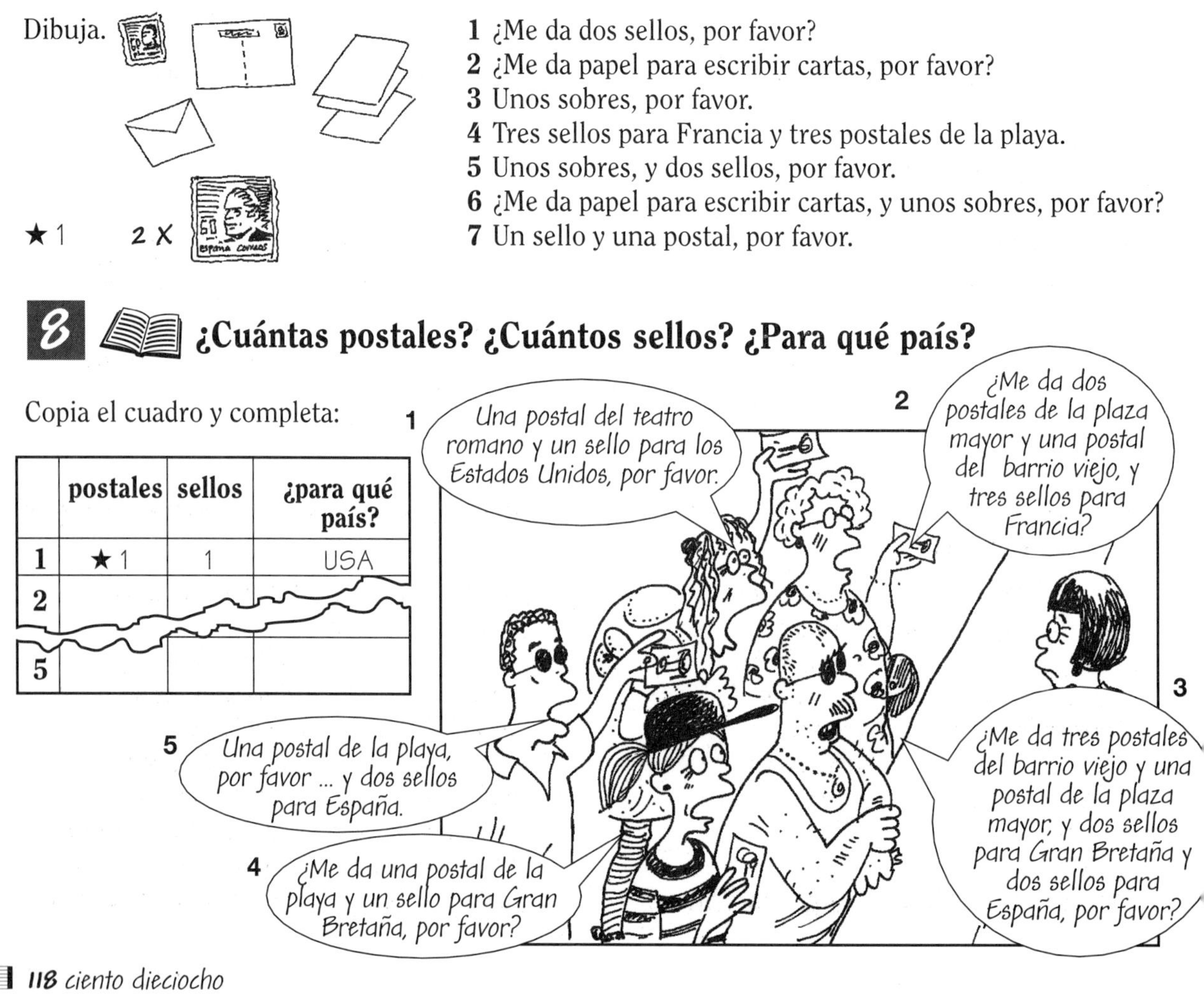

9 ¿Qué quieren?

Empareja.

1 ¿Me da una postal de la plaza mayor y un sello para España, por favor?
2 ¿Me da una postal del barrio viejo y un sello para los Estados Unidos, por favor?
3 ¿Me da una postal de la playa y un sello para Francia, por favor?
4 ¿Me da una postal de la playa y un sello para Gran Bretaña, por favor?
5 ¿Me da una postal del teatro romano y un sello para España, por favor?
6 ¿Me da una postal de la plaza mayor y un sello para los Estados Unidos, por favor?

★ 1 d

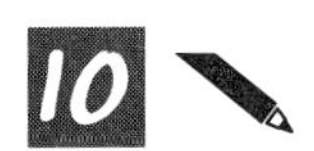

¿Qué quiere?

Escribe las frases.

★ a Me da un sello, por favor.

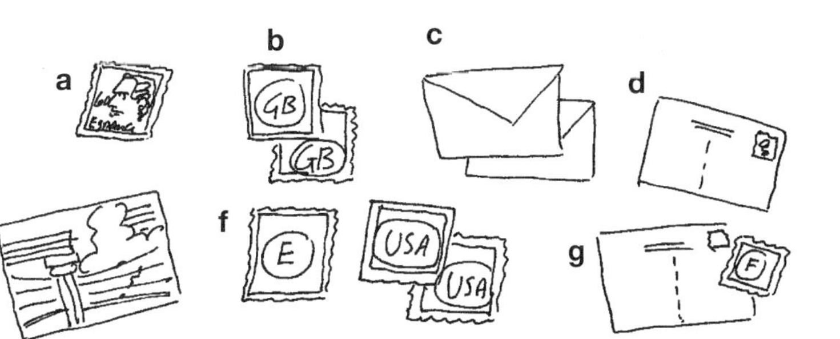

Vocabulario

¿qué quiere?	*what do you want?*	¿para qué país?	*for which country?*
¿me da ... por favor?	*give me ... please*	papel para escribir cartas	*writing paper*
tenga	*here you are*	unos sobres	*some envelopes*
un sello para ...	*one stamp for ...*	una postal	*a postcard*
dos sellos para ...	*two stamps for ...*	unas postales	*some postcards*
tres sellos para ...	*three stamps for ...*	de la playa	*of the beach*
Gran Bretaña	*Great Britain*	de la plaza mayor	*of the main square*
Francia	*France*	del barrio viejo	*of the old town*
España	*Spain*	del teatro romano	*of the Roman theatre*
los Estados Unidos	*the United States*		

30 El desayuno

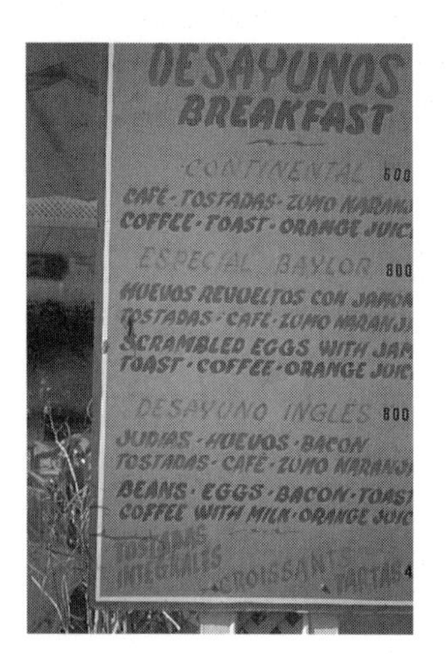

A Spanish breakfast made properly is delicious. You should have a wide range of drinks to choose from, and some unusual things to eat: a *magdalena* – a sweet, plain cake, or an *ensaimada* – a sweet pastry, like a Danish pastry. You may come across *churros* – a fried, doughnutty type of food in the shape of a thin sausage, with fluted edges, usually eaten with a thick chocolate drink. Whatever your choice, relax and enjoy your meal.

1 1-8 **¿Qué toma Vd?**

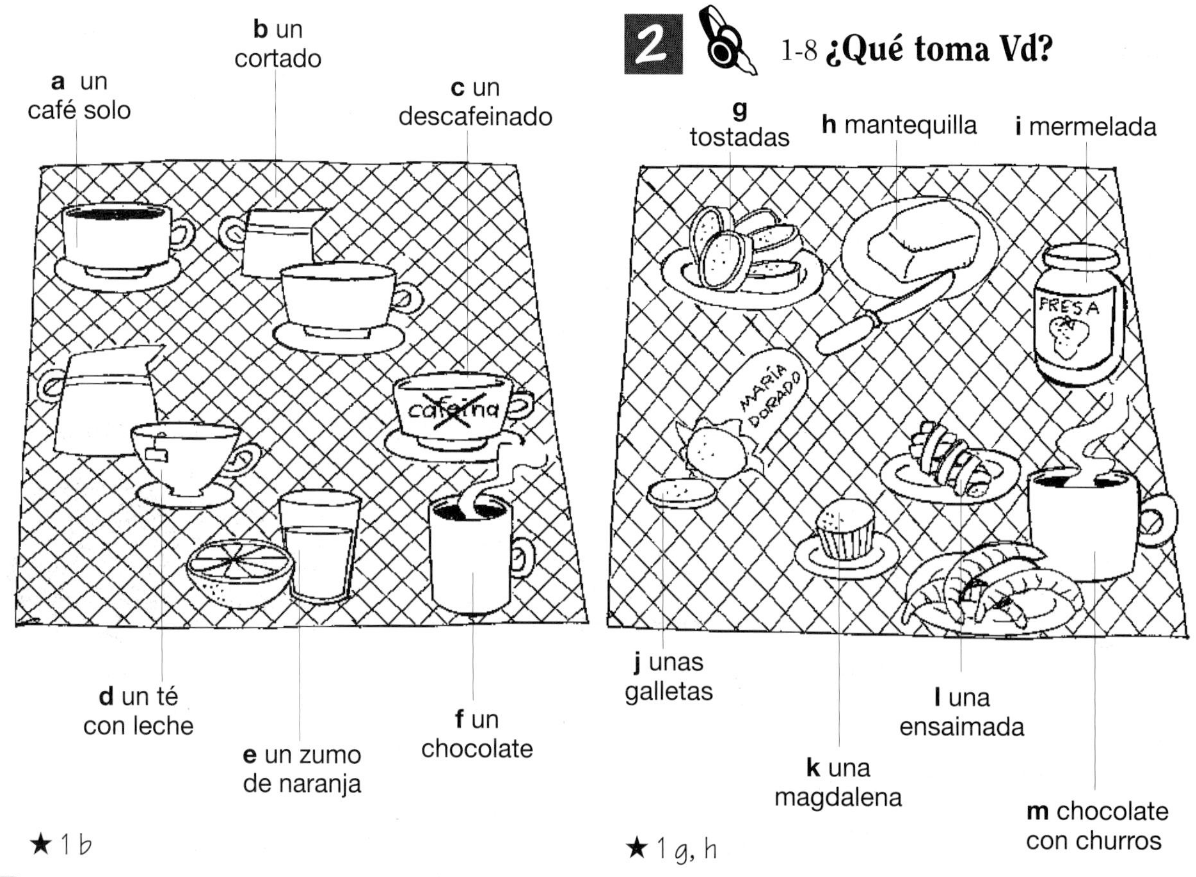

★ 1 b

★ 1 g, h

3 1-6 El desayuno

Mira los dibujos a-m. ¿Qué toman?

★ 1 c, l

★ Un café solo,
unas galletas ....

4 ...., por favor.

Practica las frases.

1 Un café solo, unas galletas y una magdalena, por favor.

2 Un cortado y tostadas con mantequilla y mermelada, por favor.

3 Un té con leche y una ensaimada, por favor.

4 Chocolate con churros y un zumo de naranja, por favor.

FRESA

MARÍA DORADO

5 Un juego de memoria

Practica con tus parejas.

★ A Un café solo, por favor.

B Un café solo y tostadas, por favor.

C Un café solo y tostadas con mantequilla, por favor.

D Un café ....

6 Dos juegos

un cortado

coffee with a little milk

Escribe unas cartas.

● En español.

A ¿Qué toma?

B *(Mira las cartas.)*

Tostadas

toast

........., por favor.

★

A ¿Qué toma?

B Tostadas

Tostadas, por favor.

● Del inglés al español.

A ¿Qué toma?

B *(Mira las cartas.)*

Tostadas

toast

........., por favor.

★

A ¿Qué toma?

B toast Tostadas, por favor.

7 En el supermercado

Lee las listas y escribe las letras.

★ 1 a . . . .

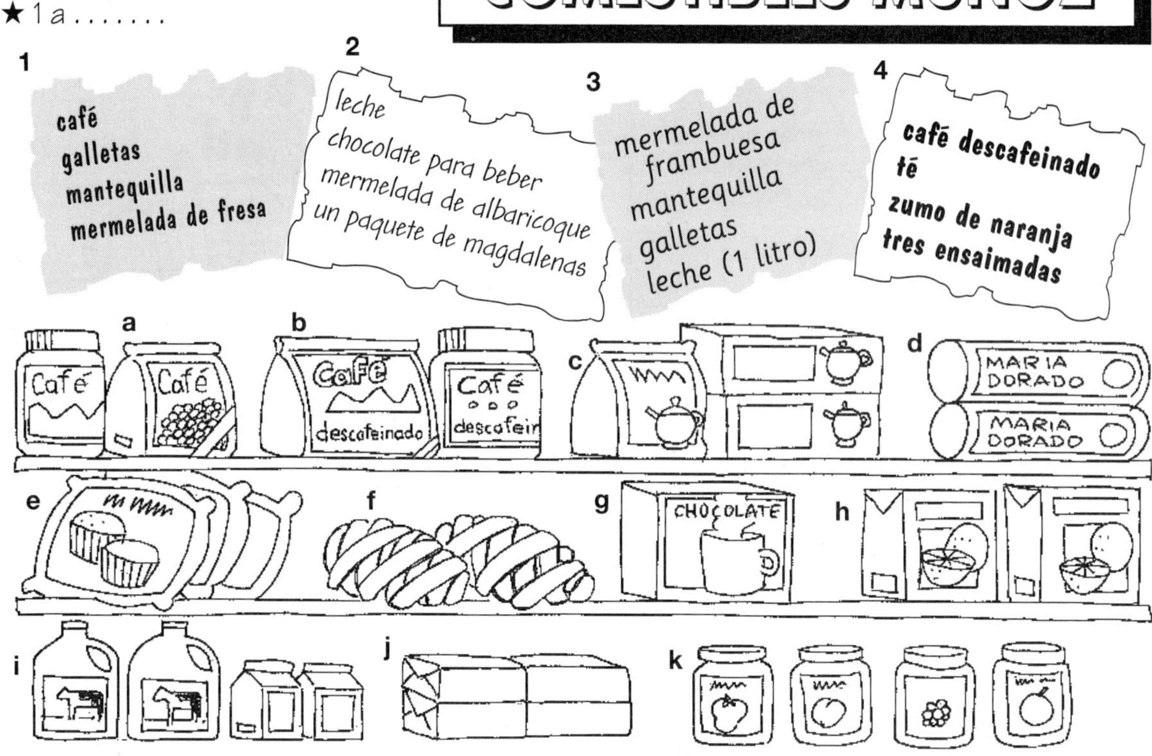

8 ¿Cuánto cuesta?

Escribe la cuenta.

★ 1: 250 ptas + 300 ptas = 550 ptas

1

café con leche ?
+
zumo de naranja ?
______
Total = ______

2

galletas
descafeinado
cortado ______
Total = ______

3

magdalena
café solo ______
Total = ______

4

ensaimada
té ______
Total = ______

5

chocolate con churros
tostadas con mantequilla y mermelada
cortado
______
Total = ______

CAFETERÍA PUERTA DEL SOL

LISTA DE PRECIOS

✿ Bebidas ✿

café solo	200
café con leche	250
café cortado	250
café descafeinado	250
té con leche	275
zumo de naranja	300
chocolate	300

✿ Desayuno ✿

ensaimada	220
chocolate con churros	350
tostadas con mantequilla	250
tostadas con mantequilla y mermelada	300
galletas	100
magdalenas	260

9 En la tienda de comestibles

Completa las etiquetas.

★ 1 té

10 Un diálogo

Completa el diálogo.

★ Buenos días .....

Vocabulario

¿qué toma Vd?	*what would you like?*	un zumo de naranja	*orange juice*
por favor	*please*	tostadas	*toast*
un café solo	*black coffee*	con	*with*
un cortado	*coffee with a little milk*	mantequilla	*butter*
un descafeinado	*decaffeinated coffee*	mermelada	*jam*
un té	*tea*	unas galletas	*some biscuits*
con leche	*with milk*	una magdalena	*a madeleine*
un chocolate	*a thick, warm chocolate drink*	una ensaimada	*a type of Danish pastry*
		churros	*churros*

31 En el instituto

Even after you've left, school is one of those things you still talk about. So if you're making new friends you may get into a discussion about school. This unit will show you how to talk about the subjects you like and those you dislike.

1  1-8 ¿Qué asignatura es?

lunes	
a el inglés	**b** la informática
c la historia	**d** las ciencias
e el dibujo	**f** el español

★ 1 b

2  1-8 ¿Te gusta ...? ¿Te gustan ...?

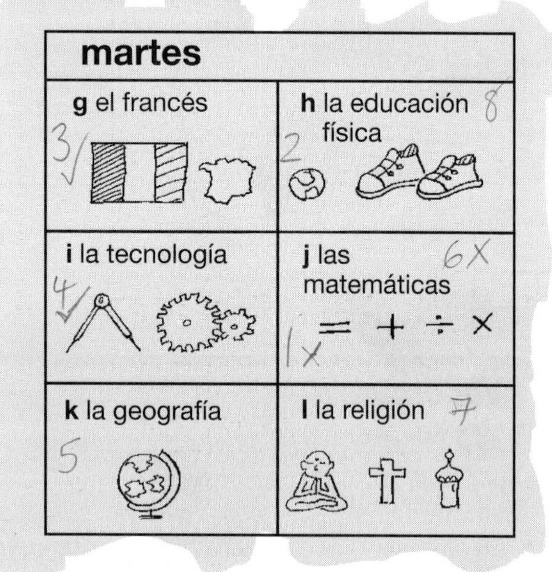

martes	
g el francés	**h** la educación física
i la tecnología	**j** las matemáticas
k la geografía	**l** la religión

★ 1 j

3  1-7 ¿Te gusta ...? ¿Sí o no?

★ 1 sí

4 ¿Qué es?

el francés las matemáticas
la historia el inglés
la geografía la religión
la informática las ciencias
el español
la educación física
el dibujo la tecnología

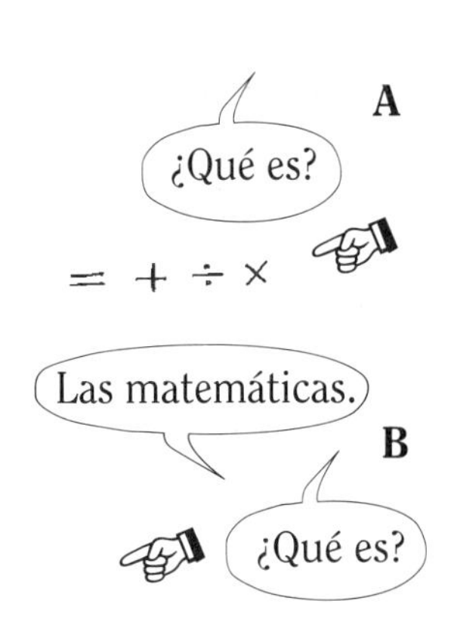

5 ¿Qué es?

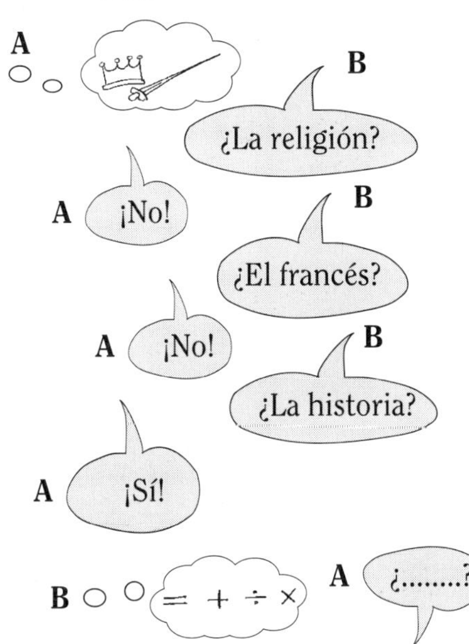

B = + ÷ × A ¿........?

6 ¿Te gusta ...? ¿Te gustan ...?

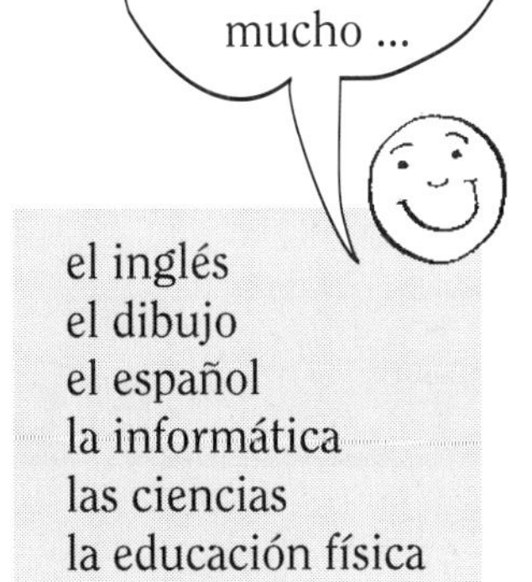

No, no me gusta nada ...
No, no me gustan nada ...

el inglés	la geografía
el dibujo	la historia
el español	las matemáticas
la informática	la tecnología
las ciencias	la religión
la educación física	el francés

! ¿gusta o gustan?

★ A ¿Te gusta el inglés?
B Sí, me gusta mucho.

7 ¿Y a ti? ¿Te gusta ...? ¿Te gustan ...?

A

las ciencias?
las matemáticas?

¡Sí, me gustan mucho!
B
¡No, no me gustan nada!

★
A ¿Te gustan las ciencias?
B Sí, me gustan mucho.

A
¿Te gusta ...?

el inglés		la geografía	
el francés		la educación física	
el español	?	la religión	?
el dibujo		la informática	
la historia		la tecnología	

¡Sí, me gusta mucho!
B
¡No, no me gusta nada!

8 ¿Qué son?

Empareja.

★ 1 f

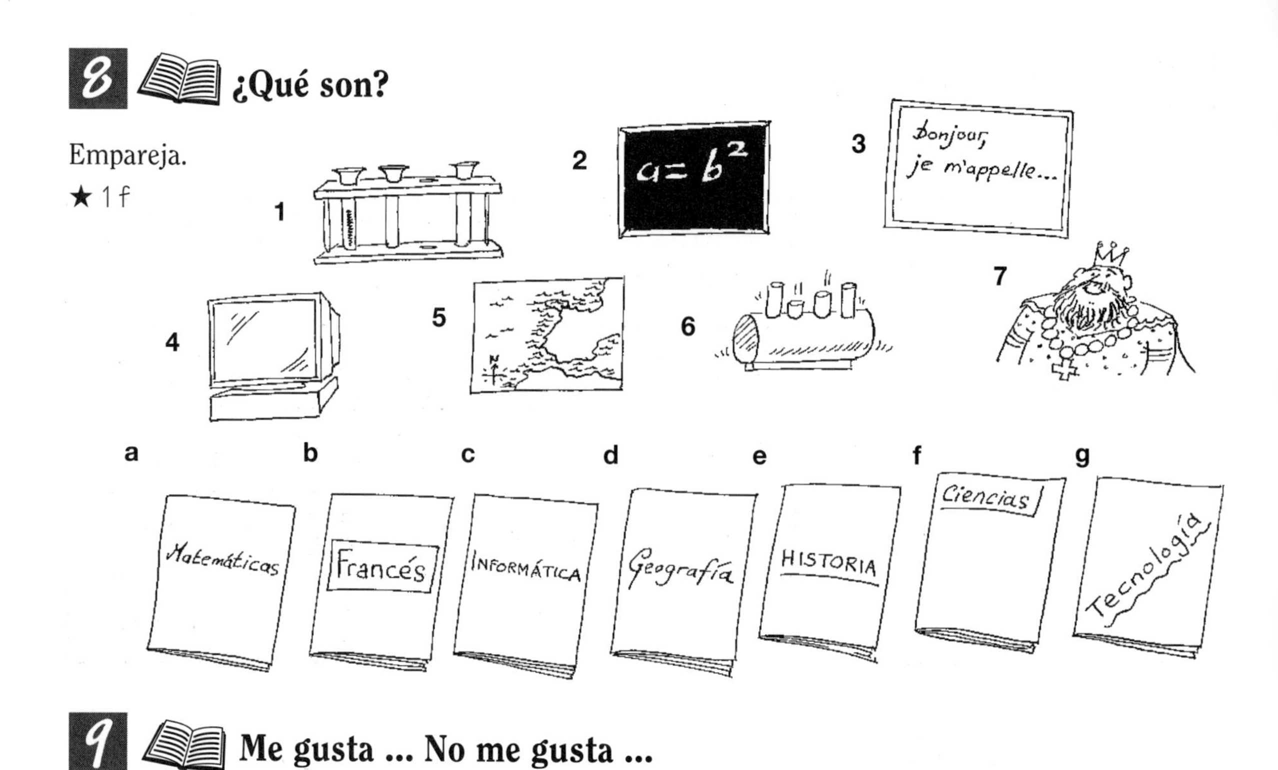

9 Me gusta ... No me gusta ...

¿Verdad o mentira?

★ 1 verdad

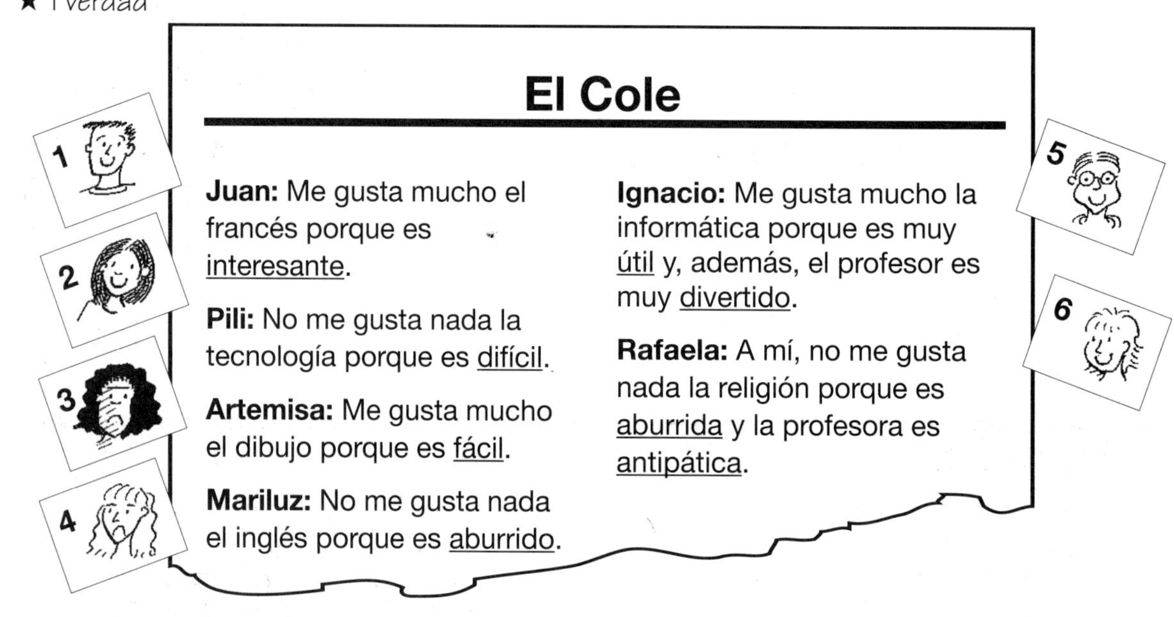

El Cole

1 **Juan:** Me gusta mucho el francés porque es interesante.

2 **Pili:** No me gusta nada la tecnología porque es difícil.

3 **Artemisa:** Me gusta mucho el dibujo porque es fácil.

4 **Mariluz:** No me gusta nada el inglés porque es aburrido.

5 **Ignacio:** Me gusta mucho la informática porque es muy útil y, además, el profesor es muy divertido.

6 **Rafaela:** A mí, no me gusta nada la religión porque es aburrida y la profesora es antipática.

10 ¿Qué son en inglés?

Busca en el diccionario.

Mira 9 .

¿Qué son ...? interesante difícil fácil aburrido útil divertido antipático

★ interesante = interesting

11 El horario de Paco

Escribe en español:

lunes	martes	miércoles	jueves	viernes
★ el inglés				

12 ¿Y tú?

Mira 11 .
Dibuja y completa tu horario.

13 ¿Y a ti? ¿Qué te gusta?

Escribe 8 frases.

Me gusta mucho.........
No me gusta nada ....

Vocabulario

¿te gusta ...?	*do you like ...?*	la geografía	*geography*
me gusta mucho ...	*I really like ...*	la informática	*IT*
no me gusta nada ...	*I don't like ... at all*	la tecnología	*technology*
el inglés	*English*	¿te gustan ...?	*do you like ...?*
el español	*Spanish*	las ciencias	*science*
el francés	*French*	las matemáticas	*maths*
el dibujo	*art*	me gustan	
la educación física	*PE*	mucho ...	*I really like ...*
la religión	*religious education*	no me gustan	
la historia	*history*	nada ...	*I don't like ... at all*

32 Cuando el coche se avería

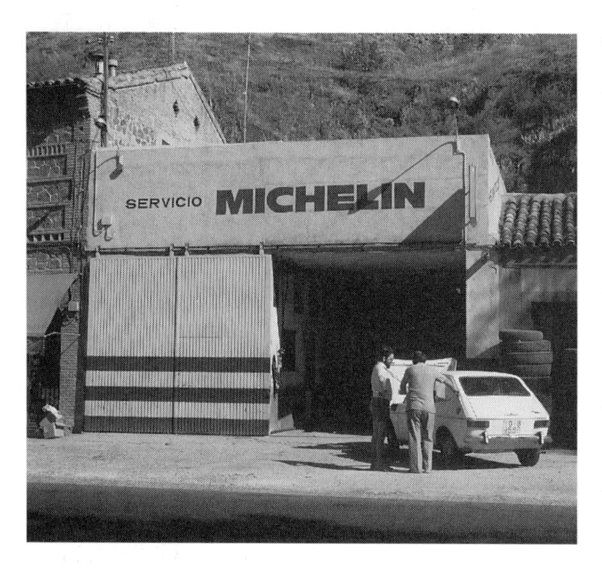

You never know what might happen when you're driving in another country. Make sure you have proper motor insurance and ask for a Green Card from the insurance company. You also need an E1.11 from any Post Office for medical insurance. Before you leave home, get to know the most common Spanish road signs – most of them are the same as ours, but of course, any words will be in Spanish, like *PEAJE* which means you will have to pay a toll. This unit will help you get by in the most common breakdown situations.

Estación de Servicio

Taller Mecánico

- neumáticos
- limpiaparabrisas
- frenos
- reparación motor
- parabrisas

Abierto: días laborables 24h
Cerrado: domingos y festivos

1 1-9 Mi coche está averiado. ¿Qué le pasa?

a he tenido un pinchazo

b el motor no funciona

c el limpiaparabrisas no funciona

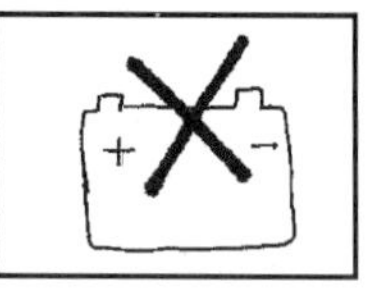

d la batería no funciona

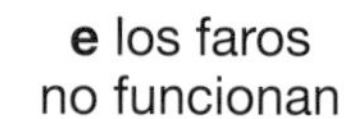

e los faros no funcionan

f los frenos no funcionan

★ 1 b

2 1-6 ¿Qué marca de coche es?

Escribe **Ford, Seat, Citroën, Ferrari, Rolls Royce, Skoda** o **Volkswagen**.

3 1-7 ¿Dónde está Vd?

x en la carretera

y en la autovía

z en la autopista

★ 1 z

4 1-7 ¿Dónde está Vd?

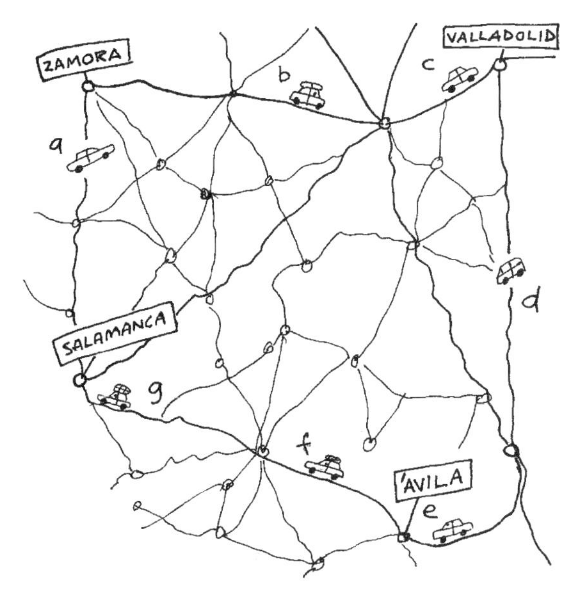

★ 1 d

¡ATENCIÓN!

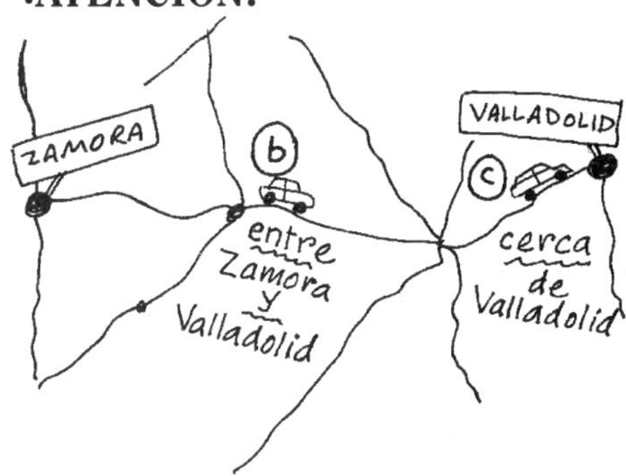

5 1-4 Un coche se avería.

Toma notas:

- ¿Qué marca?
- ¿Qué pasa?
- ¿Dónde está?

★ 1 Seat, pinchazo, carretera

6 ¿Qué le pasa?

Adivina.

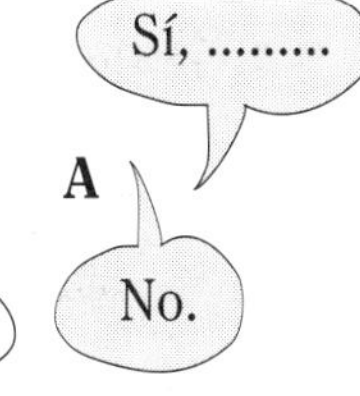

★

A Mi coche está averiado.
B ¿Qué le pasa? ¿Los faros no funcionan?
A No.
B ¿El motor no funciona?
A Sí, el motor no funciona.

7 Por teléfono

● ¿Qué marca? ● ¿Qué le pasa?

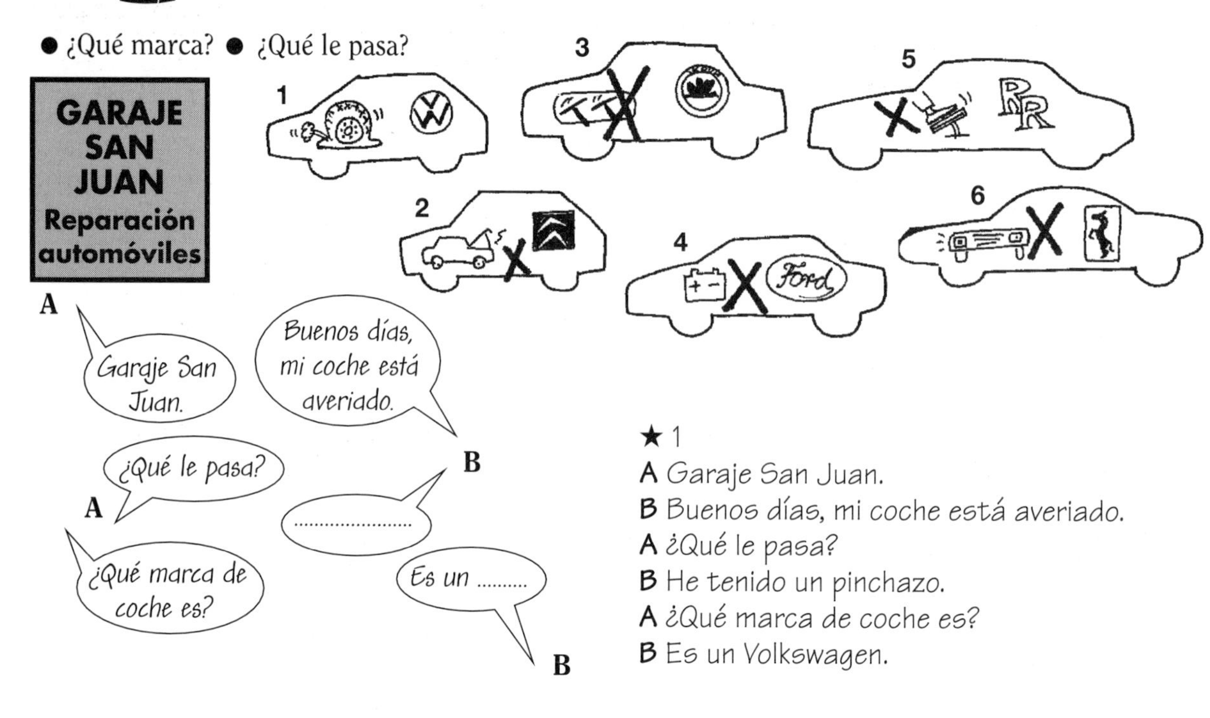

★ 1

A Garaje San Juan.
B Buenos días, mi coche está averiado.
A ¿Qué le pasa?
B He tenido un pinchazo.
A ¿Qué marca de coche es?
B Es un Volkswagen.

8 ¿Dónde está Vd?

Practica.

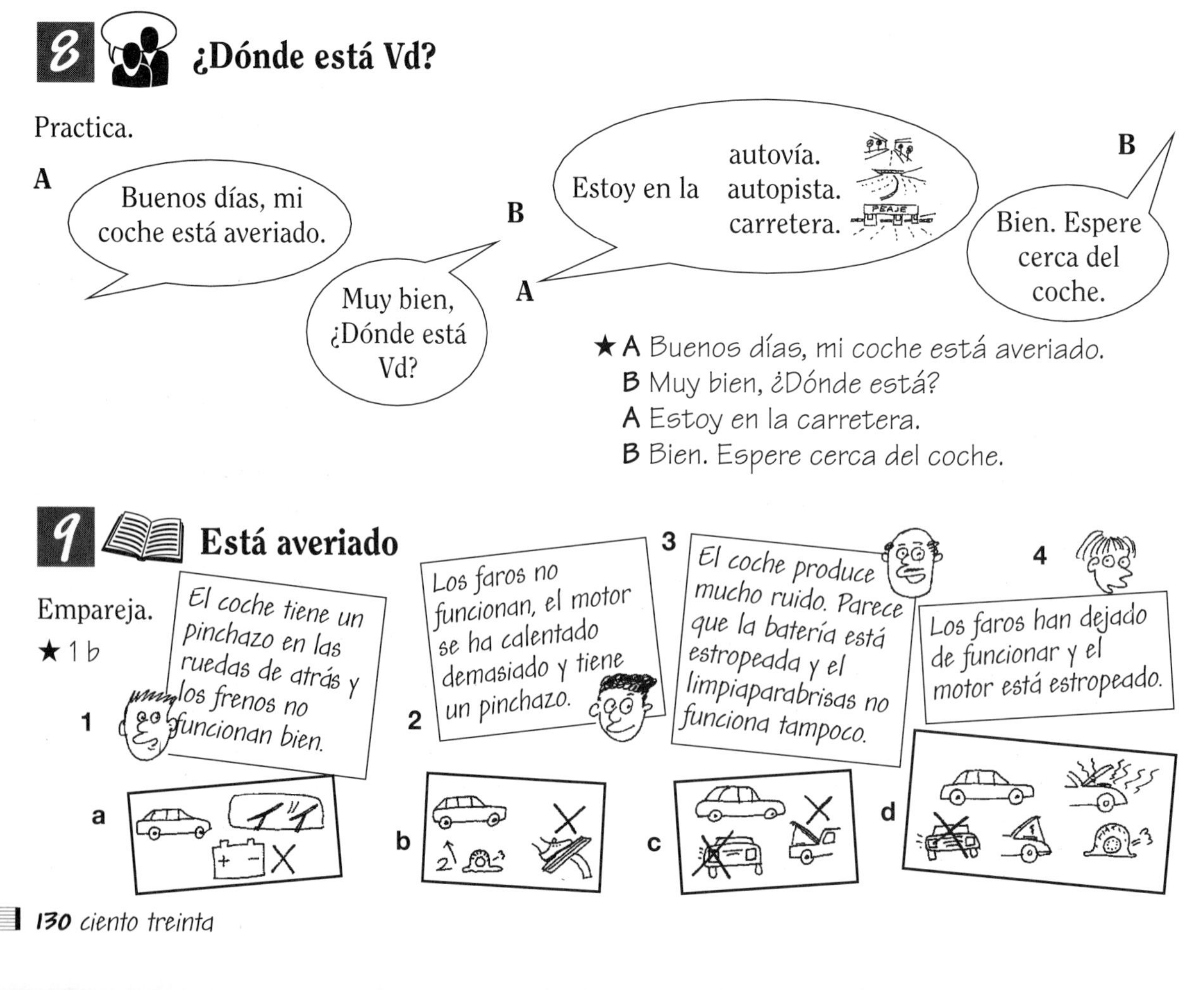

★ A Buenos días, mi coche está averiado.
B Muy bien, ¿Dónde está?
A Estoy en la carretera.
B Bien. Espere cerca del coche.

9 Está averiado

Empareja.

★ 1 b

10 En el garaje

a

Garaje Alba
Reparación coches, motos
Se reparan:
pinchazos, parabrisas, etc.
Nos especializamos en piezas Ford.
Abierto: Días laborables 9-17.00
Cerrado: Domingos y festivos.
Estamos en la carretera C245 cerca de Barcelona.

b

Estación de Servicio Camarasa
Talleres López Reparación automóviles
Precios razonables, servicio rápido

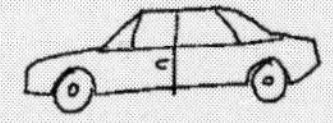

Reparación: limpiaparabrisas, frenos, faros, motor
Nos especializamos en piezas Citroën.
Abierto: todos los días 24h.
Estamos en la autovía 3 cerca de Madrid.

Escribe el nombre: Alba o Camarasa.

1 The ...... garage is a Citroën dealer.
2 The ...... garage repairs punctures.
3 The ...... garage repairs windscreen wipers, brakes and headlamps.
4 The ...... garage is open every day.
5 The ...... garage is on the motorway near Madrid.
6 The ...... garage is not on the motorway.
7 The ...... garage is only open until 5pm.

11 ¿Qué?

Escribe las frases en el orden correcto.

★ 1 Es un Ford.

1 Ford un Es.
2 coche del cerca Espere.
3 ¿marca es Qué coche de?
4 no Los faros funcionan.
5 Los no frenos funcionan.
6 pinchazo un He tenido.
7 averiado coche está Mi.
8 en carretera Estoy la.

12 ¿Y tú?

Mira 10. Dibuja tu anuncio.

Garaje Rebecca.

pinchazos ....

Vocabulario

mi coche está averiado	*my car has broken down*	¿qué marca de coche es?	*what type of car is it?*
¿qué le pasa?	*what's the problem?*	es un Ford	*it's a Ford*
he tenido un pinchazo	*I've got a puncture*	¿dónde está Vd?	*where are you?*
el motor no funciona	*the engine won't start*	estoy ...	*I am ...*
el limpiaparabrisas no funciona	*the windscreen wiper doesn't work*	en la autopista	*on the motorway (paying, toll)*
la batería no funciona	*the battery is flat*	en la autovía	*on the dual-carriageway*
los frenos no funcionan	*the brakes don't work*	en la carretera	*on the road*
los faros no funcionan	*the lights don't work*	cerca de ...	*near*
		entre ... y ...	*between ... and ...*
		espere cerca del coche	*wait near the car*

33 Los pasatiempos

If you're busy making new friends, what better way than to talk about your own interests, and to find out what other people enjoy doing. This unit will show you how to say what you think of a range of leisure activities, and to ask what someone else thinks as well.

1 1-8 ¿Qué haces en tus ratos libres?

★ 1 c

2 1-8 ¿Te gusta?

★ 1 j

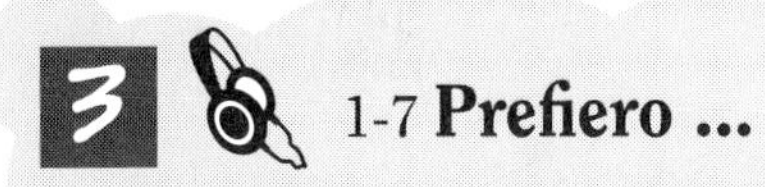

3 1-7 Prefiero ...

Escribe **A** o **B**.

	A	B
1	bailar	correr
2	ver la tele	ir al cine
3	salir con amigos	ir de compras
4	montar a caballo	hacer ciclismo
5	escuchar música	ver la tele
6	nadar	bailar
7	leer	jugar al fútbol

★ 1 B

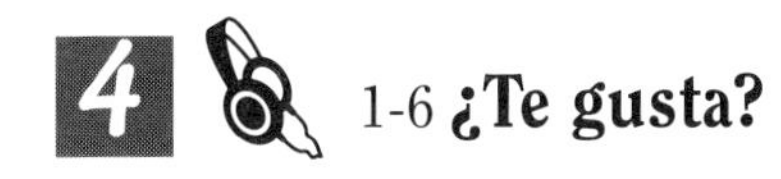

4 1-6 ¿Te gusta?

¿Quién habla? ¿Pedro o Rafa?

★ 1 Pedro

5 ¡Escucha y lee la poesía!

Me encanta leer
Me encanta salir
Prefiero correr
No aguanto ir ....AL CINE!

Me gusta bailar
Me gusta jugar
Prefiero nadar
No aguanto montar .... A CABALLO!

6 ¿Qué es?

A ¿Qué es?

B ....

★ 1
A ¿Qué es?
B Leer.

- Mira los símbolos 1-6.

1 

2 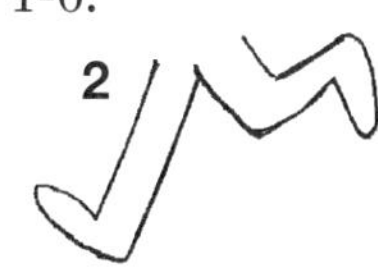

3 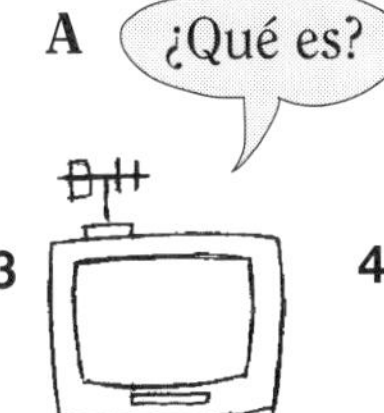

4 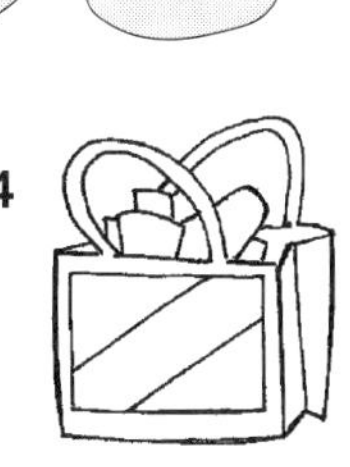

5, 6 

- Mira los símbolos 7-12.

7 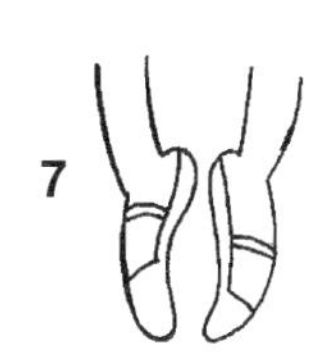

8 

10 

12 

9, 11 

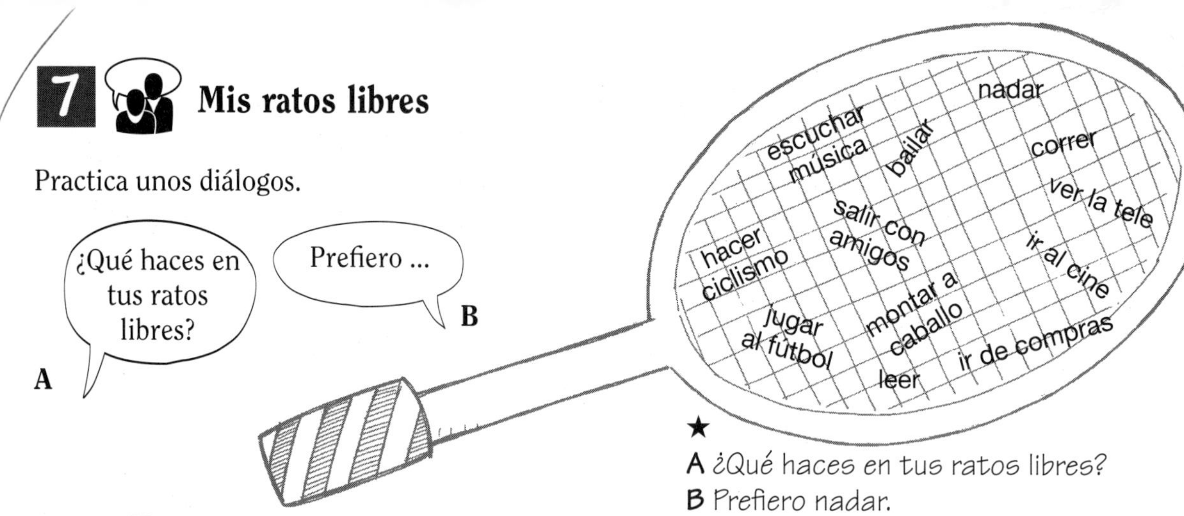

7 Mis ratos libres

Practica unos diálogos.

★
A ¿Qué haces en tus ratos libres?
B Prefiero nadar.

¿Te gusta ...? ¿Sí o no?

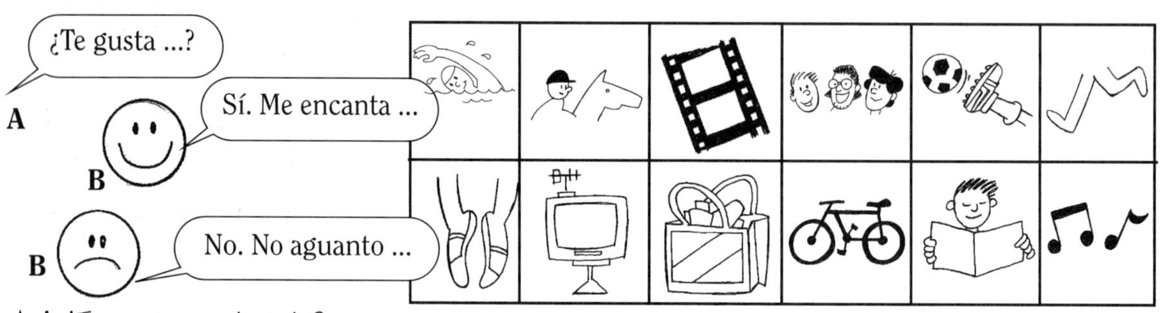

★ A ¿Te gusta ver la tele?
B No. No aguanto ver la tele.

9 ¿Qué haces en tus ratos libres? (Un juego de memoria)

A Me encanta bailar.
B Me encanta bailar y leer.
C Me encanta bailar, leer y nadar.
D Me encanta ....

10 Los pasatiempos preferidos

Escribe el número.

★ a 10%

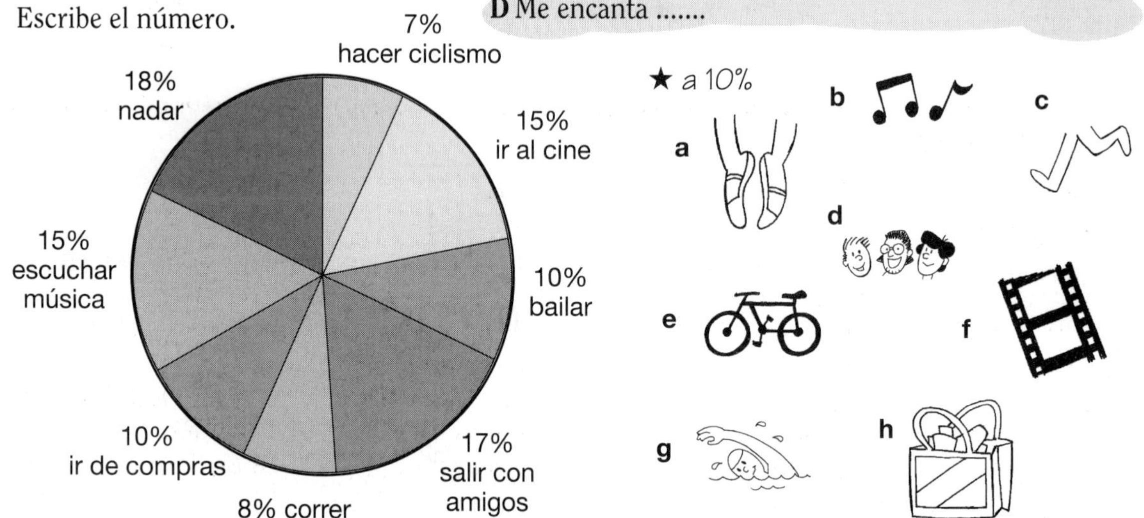

11 Unas cartas sobre los pasatiempos

Toma notas.

★ 1 ☺

1

Bilbao, 5 de agosto

¡Hola Andreas!

Me encanta leer

Un abrazo

Yolanda

2

Salamanca, 7 de julio

¡Hola Rosa!

Me encanta leer y bailar, pero no aguanto nadar. ¿Y tú? ¿Qué haces en tus ratos libres?

Hasta luego, Artemisa

3

Madrid, 9 de febrero

Hola,

¿Qué haces en tus ratos libres? Yo tengo muchos pasatiempos pero prefiero montar a caballo. Sin embargo no aguanto correr.

Un abrazo, Jesús

4

Granada, 16 de agosto

¡Hola Juan!

Me encanta escuchar música y salir con mis amigos. No aguanto hacer ciclismo.

Hasta pronto

Alberto

5

Toledo, 5 de mayo

Hola

¿Qué haces en tus ratos libres?

En mis ratos libres me encanta ir al cine y ver la tele, pero prefiero ir de compras con mis amigos.

Un beso, Esti

12 ¿Qué te gusta?

Escribe en español.

Me encanta ...

No aguanto ...

1 2 3 4 5 6 7

★ 1 Me encanta bailar.

13 ¿Y tú? ¿Qué haces en tus ratos libres?

Mira 11. Escribe una carta con 6 frases.

En mis ratos libres ...

Vocabulario

¿qué haces en tus ratos libres?	*what do you do in your free time?*	nadar	*swimming*
¿te gusta ...?	*do you like ...?*	ver la tele	*watching TV*
prefiero ...	*I prefer ...*	ir al cine	*going to the cinema*
me encanta ...	*I love ...*	ir de compras	*going shopping*
no aguanto ...	*I can't stand ...*	escuchar música	*listening to music*
leer	*reading*	montar a caballo	*horse-riding*
bailar	*dancing*	salir con amigos	*going out with friends*
correr	*running*	jugar al fútbol	*playing football*
		hacer ciclismo	*going cycling*

34 Cómo alquilar algo

By the end of this unit you'll be able to say how long you want to hire something for, and ask how much it costs. It may be a car so you can set off exploring without having to rely on public transport, or a pedalo to help you cool down in the sea breeze.

  1-7 **¿Qué quieren?**

Quiero alquilar ...

★ 1 c

1-8 ¿Para cuánto tiempo?

Para ...

e media hora

f una hora

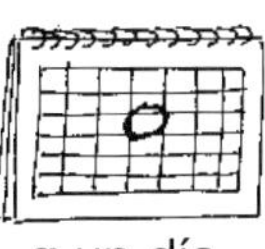

g un día

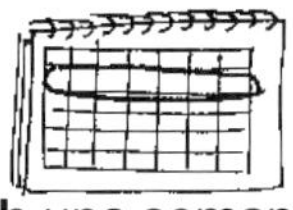

h una semana

★ *1 g*

1-5 Quiero alquilar ... ¿Para cuánto tiempo?

Mira **1** **2**.

★ *1 b, g*

1-7 ¿Cuánto cuesta?

Escribe el precio.

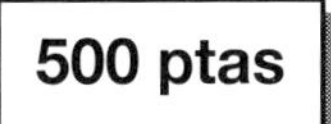

500 ptas	**1.000 ptas**	**2.000 ptas**	**10.000 ptas**	**20.000 ptas**
quinientas pesetas	mil pesetas	dos mil pesetas	diez mil pesetas	veinte mil pesetas

★ 1: *1.000 ptas*

1-5 Alquilando algo

Toma notas.

- ¿Qué quiere?
- ¿Para cuánto tiempo?
- ¿Cuánto cuesta?

★ *1 pédalo, 1 hora, 500 ptas*

¡Se alquila todo!

	media hora	**una hora**	**un día**	**una semana**
un coche (Seat Ibiza, Punto)	–	–	4.000	20.000
una bicicleta	500	1.000	2.000	
una moto	800	1.200	3.000	
un pédalo	250	500		

Quiero alquilar ...

1 un coche

2 un pédalo

3 una bicicleta

4 una moto

- Quiero alquilar.
- Quiero alquilar ....
- Quiero alquilar .... , por favor.
- Buenos días. Quiero alquilar .... , por favor.

★ 1

- *Quiero alquilar.*
- *Quiero alquilar un coche.*
- *Quiero alquilar un coche, por favor.*
- *Buenos días. Quiero alquilar un coche, por favor.*

7 ¿Para cuánto tiempo?

Practica estos diálogos.

1
A ¿Para cuánto tiempo?
B Para [clock]. No, para [clock].

2
A ¿Para cuánto tiempo?
B Para [clock]. No, para [calendar].

3
A ¿Para cuánto tiempo?
B Para [calendar]. No, para [calendar].

4
A ¿Para cuánto tiempo?
B Para [clock]. No, para [calendar].

8 ¿Qué quiere? ¿Para cuánto tiempo?

Practica los diálogos.

★ 1 A ¿Qué quiere?
B Quiero alquilar un pédalo, por favor.
A ¿Para cuánto tiempo?
B Para media hora, por favor. ¿Cuánto cuesta?

9 ¿Cuánto cuesta?

Lee los anuncios y escribe el precio.

★ a 4.000 pesetas

Alquiler de coches
Precios:-
4.000 ptas al día
18.000 ptas a la semana

Alquiler de barcas y pédalos
"Las Olas"
Precios:-
600 ptas por media hora
1.200 ptas por hora
(Menores de catorce años tienen que ir acompañados por un adulto.)

Alquiler de motos
Precios: por día 2.500 ptas
por semana 10.500 ptas
abierto todo el año
TFNO. 86. 15. 43; C/ San Isidro, Valencia

BICICLETAS ELCHE
Precios:-
por hora 700 ptas
por día 1.500 ptas
c/ de la Magdalena, 17, Elche

a Juan **b** Pedro **c** Javier **d** Cristina **e** Juanita

10 ¿Cuánto cuesta?

Escribe en español.

★ a Cuesta mil pesetas.

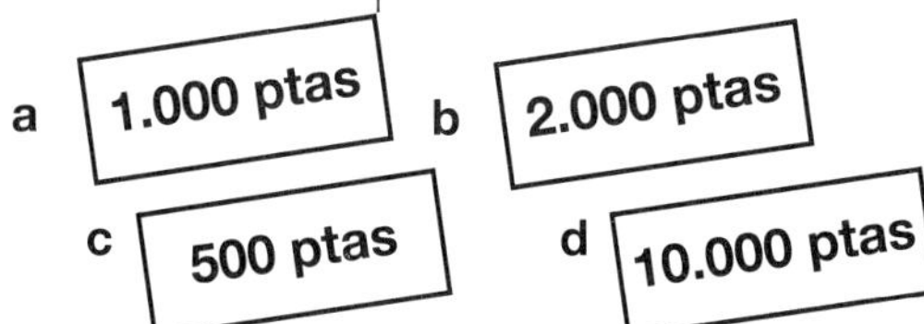

11 ¿Cuánto cuesta?

Escribe las preguntas en español.

★ a ¿Cuánto cuesta un pédalo para una hora?

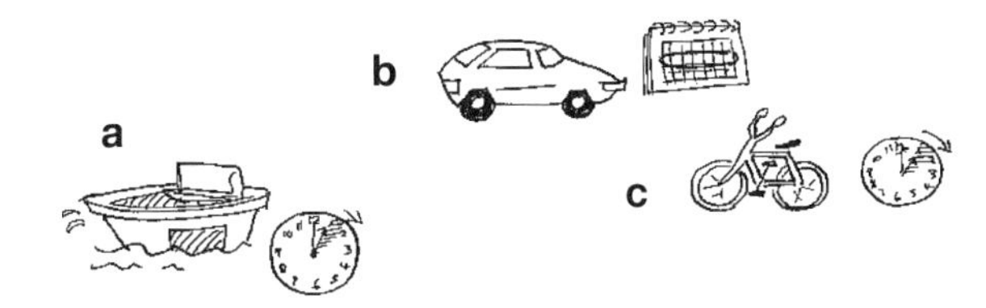

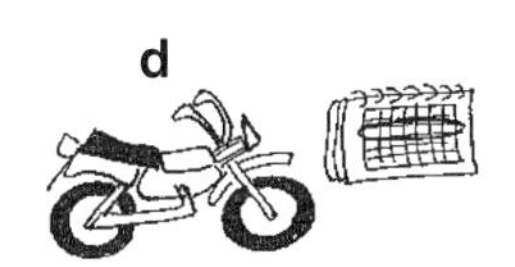

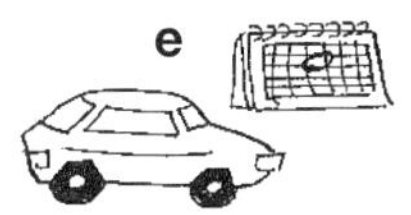

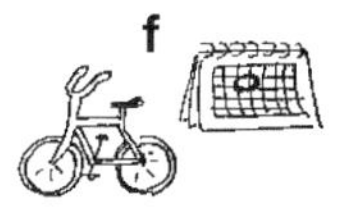

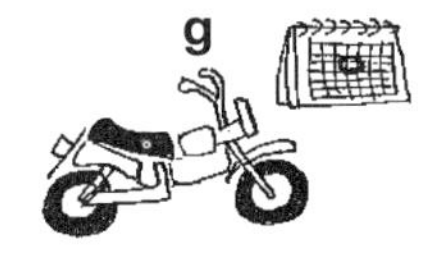

12 Un diálogo

● ¿Cuál es el orden correcto?

a) 2, 5, 1, 3, 7, 6, 8, 4 ?
b) 2, 6, 3, 1, 7, 8, 4, 5 ?
c) 2, 6, 1, 3, 8, 7, 4, 5 ?

● Escribe el diálogo en el orden correcto.

★ Buenos días ....

1 Una hora, por favor. ¿Cuánto cuesta?

2 Buenos días.

3 ¿Un pédalo? Sí, no hay problema. ¿Para cuánto tiempo quiere alquilar un pédalo?

4 Media hora cuesta mil pesetas. ¿Está bien?

5 Sí, está bien.

6 Buenos días. Quiero alquilar un pédalo.

7 Vamos a ver ... una hora cuesta dos mil pesetas. ¿Está bien?

8 No, ¿media hora, cuánto cuesta?

13 ¿Y tu tienda de alquiler? Escribe un anuncio.

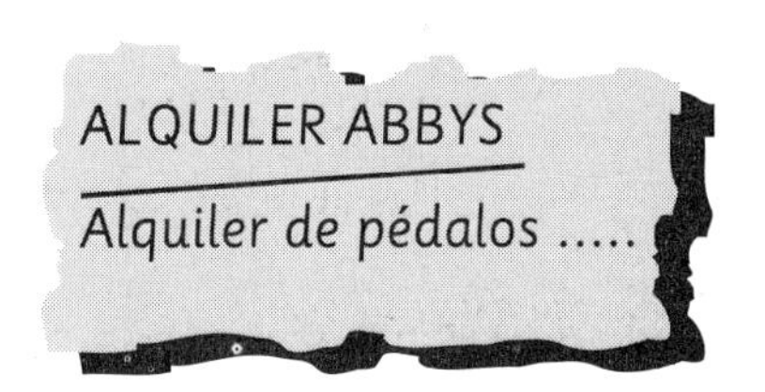

Vocabulario

alquiler de ...	... *for hire*	para ...	*for ...*
quiero alquilar	*I want to hire*	media hora	*half an hour*
un coche	*a car*	una hora	*one hour*
un pédalo	*a pedalo*	un día	*one day*
una bicicleta	*a bike*	una semana	*one week*
una moto	*a motorbike, scooter*	¿cuánto cuesta?	*how much does it cost?*
¿para cuánto tiempo?	*for how long?*	cuesta	*it costs*
		quinientas pesetas	*500 ptas*
		mil pesetas	*1,000 ptas*
		dos mil pesetas	*2,000 ptas*
		diez mil pesetas	*10,000 ptas*
		veinte mil pesetas	*20,000 ptas*

35 ¡Socorro! ¡Me han robado!

If you have the bad luck to be robbed while you're away, at least you'll be able to show off to your friends that you knew what to shout after the thief! And if you're going to claim on your insurance, you'll have to report the theft to the police. You should even be able to describe the thief, so perhaps you'll get your property back.

1 1-6 ¿Qué le han robado?

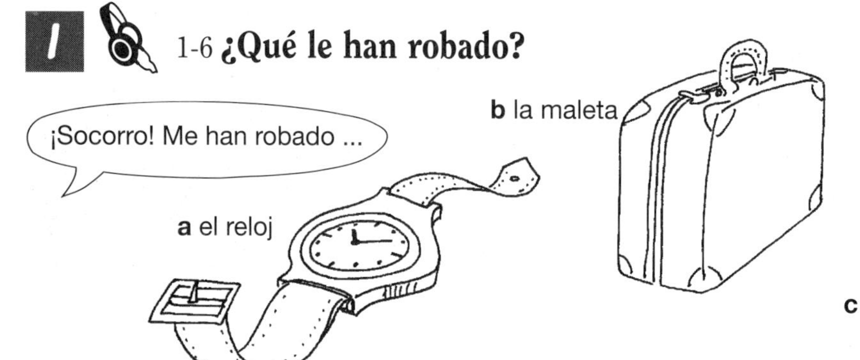

a el reloj

b la maleta

c el dinero

★ 1 b

2 1-6 ¿Era un hombre o una mujer?

Escribe **H** o **M**.

Era ...

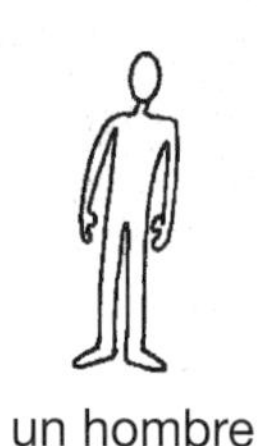

un hombre

una mujer

★ 1 M

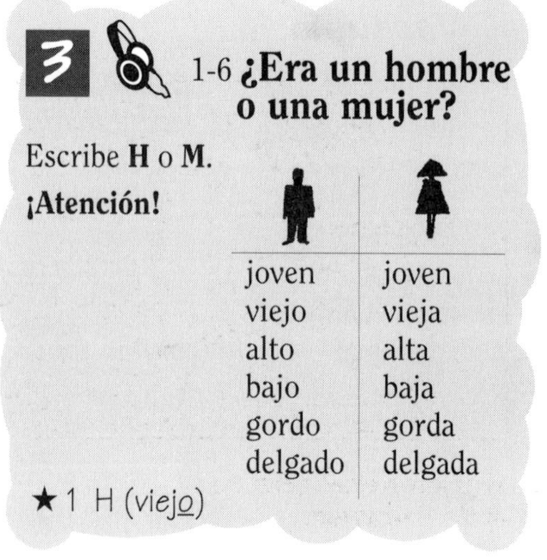

3 1-6 ¿Era un hombre o una mujer?

Escribe **H** o **M**.

¡Atención!

joven	joven
viejo	vieja
alto	alta
bajo	baja
gordo	gorda
delgado	delgada

★ 1 H (viej<u>o</u>)

1-9 ¿Cómo era?

Era ...

a joven

b viejo, vieja

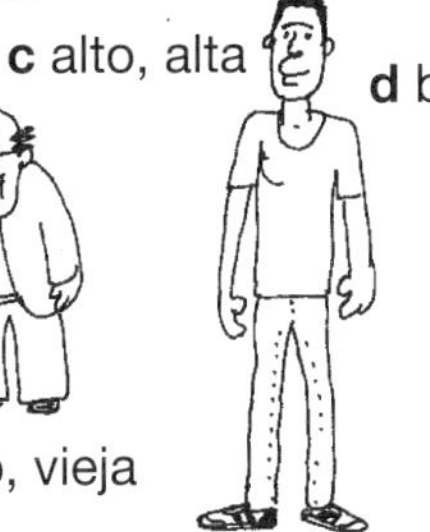

c alto, alta

d bajo, baja

e gordo, gorda

f delgado, delgada

★ 1 *e*

5 1-7 ¿Cómo era?

Era ... con ...

x con barba

y con gafas

z con pecas

★ 1 z

¡Socorro!

1 **A** ¡Socorro! ¡Me han robado!
B ¿Qué le han robado?
A Me han robado el reloj, la maleta y el dinero.

2 **B** ¿Era un hombre?
A No, era una mujer.

3 **B** ¿Cómo era? ¿Era vieja?
A No, era joven.

4 **B** ¿Era alta y delgada?
A No, era baja y gorda.

B ¿Con barba?
A ¡No! Con gafas y pecas.

7 ¿Cómo era?

Mira  .

- Escribe unos diálogos.

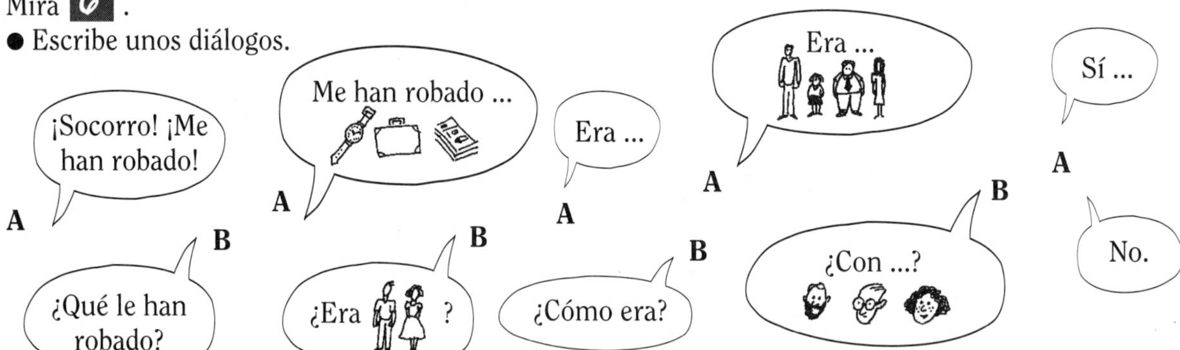

- Practica los diálogos.

★ A ¡Socorro! ¡Me han robado!
B ¿Qué le han robado?
A Me han robado ...

Era ...
¡Atención!

♂	♀
joven	joven
viejo	vieja
alto	alta
bajo	baja
gordo	gorda
delgado	delgada

8 ¡Socorro! ¡Me han robado! ¿Quién era?

Dibuja las caras.

★ 1 

1 Era un hombre con barba.
2 Era una mujer con gafas.
3 Era un hombre con pecas y gafas.
4 Era un hombre con gafas.
5 Era una mujer con pecas.
6 Era un hombre con gafas y barba.

9 ¿Quién me ha robado?

Empareja.

★ a ...?

1 Julia Ibánez

2 Juan Melena

3 Rafa Campaña

4 Isabel Muñoz

a **HOY**

Noticias Mundiales
SE QUEDÓ SIN DINERO
El pasado lunes, en la c/ San Fermín, un peatón inglés se quedó sin dinero tras un robo violento. Según la víctima, era un hombre bajo y delgado con barba ...

b **EL PAÍS**

ROBO EN NUEVA YORK
Un reloj de oro por valor de casi 50.000.000 fue robado por una mujer alta y muy joven ...

c **DIARIO NUEVA YORK**

Sucesos locales
Tras un atraco en un bar de Nueva York se busca a una mujer muy gorda con gafas ...

d **LA VOZ del PUEBLO**

INTENTO ROBAR A UN TURISTA
Ayer, a las tres de la madrugada un ladrón intentó robar el bolso y el dinero a un turista francés. Según el turista, era un hombre bastante bajo y viejo que llevaba gafas y ...

10 ¿Qué le han robado?

Escribe las 3 frases.

★ Me han ...

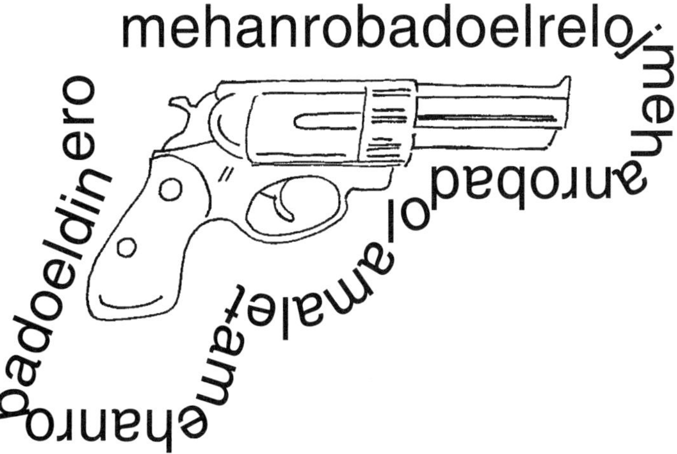

11 ¿Cómo era?

Escribe en español.

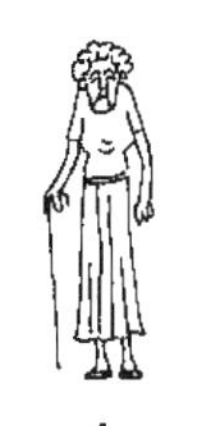
1

2

3

4

5

6

★ 1 Era una mujer. Era vieja, delgada, alta.

12 ¿Y tú y tus amigos? ¿Cómo sois?

(Describe yourself and your friends.)

Soy ......
Thomas es ......
Maxine es .....

Vocabulario

me han robado	*I've been robbed*	viejo, vieja	*old*
me han robado ...	*my ... has been stolen*	alto, alta	*tall*
el reloj	*watch*	bajo, baja	*short*
la maleta	*suitcase*	gordo, gorda	*fat*
el dinero	*money*	delgado, delgada	*thin*
¿cómo era?	*what was he/she like?*	con	*with*
era	*he, she was ... it was ...*	barba	*a beard*
un hombre	*a man*	gafas	*glasses*
una mujer	*a woman*	pecas	*freckles*
joven	*young*		

Acknowledgements

Thanks to Valerie Laws, who co-wrote *Au Secours* and *Hilfe*, the
original books in this series, without whom this would also have been impossible.

Design: Krystyna Hewitt

Illustrations: Jacqueline East, Nigel Kitching, Shaun Williams

Photographs: Lynda Sweeney, The J. Allan Cash Photo Library, Ron Wallace and Niobe O'Connor

Recorded at: The Speech Recording Studio, London

Recorded by: Carlos Fernández, Marisa Julián, Guillermo Reinlein, Mari Luz Rodrigo

First published in 1996 by Mary Glasgow Publications
An imprint of Stanley Thornes (Publishers) Ltd
Ellenborough House
Wellington Street
Cheltenham GL50 1YW

97 98 99 / 10 9 8 7 6 5 4 3 2

Printed and bound by Scotprint Ltd, Musselburgh, Scotland

A catalogue record for this book is available from the British Library.

ISBN 0 7487 2391 9